ACCESO GRATIS _a la Lectura en la Nube_

Para visualizar el libro electrónico en la nube de lectura envíe junto a su nombre y apellidos una fotografía del código de barras situado en la contraportada del libro y otra del ticket de compra a la dirección:

ebooktirant@tirant.com

En un máximo de 72 horas laborales le enviaremos el código de acceso con sus instrucciones.

AF218681

La visualización del libro en **NUBE DE LECTURA** excluye los usos bibliotecarios y públicos que puedan poner el archivo electrónico a disposición de una comunidad de lectores. Se permite tan solo un uso individual y privado

EL USO DE LA FUERZA EN DERECHO ADMINISTRATIVO

(Edición revisada)

COMITÉ CIENTÍFICO DE LA EDITORIAL TIRANT LO BLANCH

MARÍA JOSÉ AÑÓN ROIG
Catedrática de Filosofía del Derecho
de la Universidad de Valencia

ANA CAÑIZARES LASO
Catedrática de Derecho Civil de
la Universidad de Málaga

JORGE A. CERDIO HERRÁN
Catedrático de Teoría y Filosofía de Derecho.
Instituto Tecnológico Autónomo de México

JOSÉ RAMÓN COSSÍO DÍAZ
Ministro en retiro de la Suprema
Corte de Justicia de la Nación y
miembro de El Colegio Nacional

MARÍA LUISA CUERDA ARNAU
Catedrática de Derecho Penal de la
Universidad Jaume I de Castellón

CARMEN DOMÍNGUEZ HIDALGO
Catedrática de Derecho Civil de la
Pontificia Universidad Católica de Chile

EDUARDO FERRER MAC-GREGOR POISOT
Juez de la Corte Interamericana
de Derechos Humanos
Investigador del Instituto de
Investigaciones Jurídicas de la UNAM

OWEN FISS
Catedrático emérito de Teoría del Derecho
de la Universidad de Yale (EEUU)

JOSÉ ANTONIO GARCÍA-CRUCES GONZÁLEZ
Catedrático de Derecho Mercantil de la UNED

JOSÉ LUIS GONZÁLEZ CUSSAC
Catedrático de Derecho Penal de
la Universidad de Valencia

LUIS LÓPEZ GUERRA
Catedrático de Derecho Constitucional
de la Universidad Carlos III de Madrid

ÁNGEL M. LÓPEZ Y LÓPEZ
Catedrático de Derecho Civil de
la Universidad de Sevilla

MARTA LORENTE SARIÑENA
Catedrática de Historia del Derecho de
la Universidad Autónoma de Madrid

JAVIER DE LUCAS MARTÍN
Catedrático de Filosofía del Derecho y
Filosofía Política de la Universidad de Valencia

VÍCTOR MORENO CATENA
Catedrático de Derecho Procesal de la
Universidad Carlos III de Madrid

FRANCISCO MUÑOZ CONDE
Catedrático de Derecho Penal de la
Universidad Pablo de Olavide de Sevilla

ANGELIKA NUSSBERGER
Catedrática de Derecho Constitucional
e Internacional en la Universidad
de Colonia (Alemania)
Miembro de la Comisión de Venecia

HÉCTOR OLASOLO ALONSO
Catedrático de Derecho Internacional de la
Universidad del Rosario (Colombia) y
Presidente del Instituto Ibero-Americano
de La Haya (Holanda)

LUCIANO PAREJO ALFONSO
Catedrático de Derecho Administrativo
de la Universidad Carlos III de Madrid

CONSUELO RAMÓN CHORNET
Catedrática de Derecho Internacional
Público y Relaciones Internacionales
de la Universidad de Valencia

TOMÁS SALA FRANCO
Catedrático de Derecho del Trabajo y de la
Seguridad Social de la Universidad de Valencia

IGNACIO SANCHO GARGALLO
Magistrado de la Sala Primera (Civil)
del Tribunal Supremo de España

ELISA SPECKMANN GUERRA
Directora del Instituto de Investigaciones
Históricas de la UNAM

RUTH ZIMMERLING
Catedrática de Ciencia Política de la
Universidad de Mainz (Alemania)

Fueron miembros de este Comité:
Emilio Beltrán Sánchez, Rosario Valpuesta Fernández y Tomás S. Vives Antón

Procedimiento de selección de originales, ver página web:

www.tirant.net/index.php/editorial/procedimiento-de-seleccion-de-originales

EL USO DE LA FUERZA EN DERECHO ADMINISTRATIVO

(Edición revisada)

Felio José Bauzá Martorell

REAL ACADEMIA
VALENCIANA
DE JURISPRUDENCIA
Y LEGISLACIÓN

tirant lo blanch
Valencia, 2023

Copyright ® 2023

Todos los derechos reservados. Ni la totalidad ni parte de este libro puede reproducirse o transmitirse por ningún procedimiento electrónico o mecánico, incluyendo fotocopia, grabación magnética, o cualquier almacenamiento de información y sistema de recuperación sin permiso escrito del autor y del editor.

En caso de erratas y actualizaciones, la Editorial Tirant lo Blanch publicará la perti-nente corrección en la página web www.tirant.com.

© Felio José Bauzá Martorell

© TIRANT LO BLANCH
EDITA: TIRANT LO BLANCH
C/ Artes Gráficas, 14 - 46010 - Valencia
TELFS.: 96/361 00 48 - 50
FAX: 96/369 41 51
Email: tlb@tirant.com
www.tirant.com
Librería virtual: www.tirant.es
DEPÓSITO LEGAL: V-296-2023
ISBN: 978-84-1147-919-6
MAQUETA: Innovatext

Si tiene alguna queja o sugerencia, envíenos un mail a: *atencioncliente@tirant. com*. En caso de no ser atendida su sugerencia, por favor, lea en *www.tirant.net/ index.php/empresa/politicas-de-empresa* nuestro Procedimiento de quejas.

Responsabilidad Social Corporativa: *http://www.tirant.net/Docs/RSCTirant.pdf*

Esta monografía recibió el Premio de Estudios Jurídicos 2018 de la Real Academia Valenciana de Jurisprudencia y Legislación. El Jurado —compuesto por el Ilmo. Sr. D. José Antonio Belenguer Prieto, como Presidente, por delegación del Presidente de la RAVJL; Ilmo. Sr. D. Antonio Sotillo Martí, Secretario; Ilma. Sra. Dª Mª José Santacruz Ayo, Vocal; Ilmo. Sr. D. Miguel Guillot Hospitaler, Vocal; y el lmo. Sr. D. Francisco de Paula Blasco Gascó, Vocal— concedió el premio por unanimidad en sesión celebrada el 13 de noviembre de 2018.

Agradezco muy especialmente al profesor D. Juan Alfonso Santamaría Pastor la sugerencia de analizar esta problemática del uso de la fuerza, así como la indicación de las escasas fuentes bibliográficas existentes y los ánimos a continuar el trabajo.

No puedo dejar de agradecer asimismo al profesor D. José Eugenio Soriano García la revisión del texto y sus indicaciones de rigor y precisión en una materia tan sensible.

Publiqué una primera edición de este trabajo en Iustel en 2019 y ahora la Real Academia Valenciana de Jurisprudencia y Legislación me brinda la ocasión de hacerlo con su sello editorial en la colección Estudios Jurídicos.

La perspectiva de estos años me permite valorar algunas de las afirmaciones y opiniones que formulé en su momento, y en cualquier caso revisar aquel texto de una manera más sosegada y reflexiva.

Desde que publiqué la primera edición he ido confirmando de manera recurrente que el uso de la fuerza no está resuelto en derecho administrativo y que sigue siendo necesaria una serena regulación. Los medios de comunicación permiten visualizar dos cosas: una creciente alteración del orden público y la dificultad de los efectivos policiales para impedir o, en su caso, reprimir tales conductas agresivas contra personas y bienes. Pienso en consecuencia que el grueso de la monografía sigue gozando de actualidad y me reafirmo en que el derecho administrativo debe dar respuesta a esta situación, colmando todas las carencias y lagunas que presenta el régimen jurídico del uso de la fuerza.

Consiste en una función pública netamente administrativa, quizá de las más originarias y nucleares del derecho administrativo, prestada por servidores públicos expresamente habilitados para la aplicación de la fuerza, y por ello no puede quedar huérfana de regulación administrativa y dejada en exclusiva al derecho penal.

Apelo al legislador a abordar una materia tan compleja, al tiempo que sensible (en términos de derechos humanos) como esta.

Valldemossa, agosto de 2022.

Índice

V. EL USO DE LA FUERZA EN LA JURISPRUDENCIA

VI. NUEVAS NECESIDADES DEL USO DE LA FUERZA

VII. CONCLUSIONES: HACIA UN DERECHO ADMINISTRATIVO ESPECIAL DE POLICÍA

I. EL USO DE LA FUERZA EN DERECHO

1. PLANTEAMIENTO

La doctrina administrativa debe al profesor Carro Fernández-Valmayor el principal artículo en nuestro país que analiza frontalmente y sin circunloquios la problemática jurídica de la coacción directa[1]. Desde entonces autores como Fernández Rodríguez, Nieto, Parada Vázquez, Rebollo Puig y el mismo Carro han abordado la policía como actividad administrativa y la seguridad ciudadana.

En 1975 García de Enterría ya demandaba con urgencia un estudio crítico de los poderes de intervención y de control que se atribuyen a la policía y en consecuencia a una revisión del derecho positivo para asegurar la conciliación entre la actividad de policía y las libertades públicas[2].

---

[1]   CARRO FERNÁNDEZ-VALMAYOR, J. L. <<Los problemas de la coacción directa y el concepto de orden público>> *Revista Española de Derecho Administrativo* núm. 15. Madrid, 1977. Págs. 605 a 628. El profesor Carro exceptúa la salvedad del tratamiento diferenciado de la coacción directa dentro de la coacción administrativa por parte de García de Enterría en el Curso de Derecho Administrativo.

[2]   "Con independencia de un estudio crítico de esta situación legal, que lo merece urgentemente (pues nuestros constitucionalistas han abandonado, incomprensiblemente, este campo de técnica jurídica estricta para acogerse a los más cómodos, y en cualquier caso no jurídicos, de la filosofía política, de la sociología o de la historia), lo que ahora nos interesa es notar que los poderes de intervención y de control de la policía sobre tales derechos serán los que las normas hayan diseñado y construido válidamente,

Transcurridas cuatro décadas desde el estudio específico de la coacción directa, resulta obligado someter a examen esos planteamientos dogmáticos, muchos de ellos derivados del derecho alemán[3], en un entorno social netamente distinto, en el que el concepto de seguridad ciudadana ha experimentado profundas transformaciones como consecuencia de nuevas formas de atentar contra la misma (escenarios de guerrilla urbana, creciente contestación social a la actuación de los poderes públicos en paralelo al descrédito de la clase política, obstaculización de la práctica judicial de desahucios por ciudadanos y hasta por Administraciones, que crean "oficinas anti desahucios"… y un largo etcétera).

Las fuerzas y cuerpos de seguridad (en adelante, FCS) se enfrentan a diario a situaciones en las que el uso de la fuerza deviene inexcusable: la asistencia a Juzgados y Tribunales que practican desalojos en los que se encadenan personas de avanzada edad, a veces con niños en brazos; manifestaciones en las que la violencia contra los propios agentes y mobiliario urbano se ejerce con especial énfasis; el movimiento llamado "ocupa", cada vez más extendido… todo ello en un contexto de especial desobediencia, cuando no de frontal rechazo a la autoridad[4].

---

siempre, pues, poderes concretos, específicamente atribuidos por la Ley, y nunca poderes generales e indeterminados que legitimen cualquier medida instrumental escogida por la autoridad". GARCÍA DE ENTERRÍA, E. <<Sobre los límites del poder de policía general y del poder reglamentario>> *Revista Española de Derecho Administrativo* núm. 5. 1975. Pág. 211.

[3]   Carro alude a las aportaciones especialmente de Otto Mayer, pero también de Kaufmann, Götz y Drews-Wacke para afirmar con rotundidad que el derecho administrativo en Alemania se construyó a partir del derecho de policía.

[4]   BIONDO, F. *Desobediencia civil y teoría del derecho. Tomar los conflictos en serio.* Centro de Estudios Políticos y Constitucionales. Madrid, 2016.

Lejos quedan ya las situaciones en las que las FCS ejercían el uso de la fuerza en exclusiva en funciones de policía judicial, tendentes a asegurar un delincuente y ponerlo a disposición judicial. Son cada vez más frecuentes los casos en que los efectivos policiales se ven impelidos a usar la fuerza en el seno de relaciones estrictamente administrativas, para las que sencillamente no existe apenas regulación.

En efecto las leyes de procedimiento se han limitado a contemplar la compulsión sobre las personas como un medio más de ejecución del acto administrativo (art. 104 LPAC), si bien dejan huérfano de regulación en sede administrativa el uso de la fuerza. Santamaría Pastor se pregunta "¿Cómo ha de materializarse el desalojo de un inmueble, en caso de oposición violenta y activa de sus ocupantes? ¿O la entrada en un domicilio, cuando los agentes están provistos de una autorización judicial? ¿O la represión de una manifestación ilegal, si los agentes son agredidos por los manifestantes? ¿O la desobediencia abierta de la orden de detenerse por un agente de tráfico? ¿Cuánto tiempo pueden detenerme y qué exigencias pueden formularme? Nada de esto se regula en nuestras leyes, que huyen espantadas de toda referencia al empleo de la fuerza, lo cual neutraliza la actuación de los agentes prudentes y somete a cualquier tipo de arbitrariedad ejercida por quienes carecen de esta virtud"[5].

El tratamiento que hasta la fecha el ordenamiento jurídico español ha dispensado al uso de la fuerza por parte de FCS se limita al derecho penal (delito de lesiones o en

---

[5]   SANTAMARÍA PASTOR, J. A. Panorámica general de la reforma del procedimiento administrativo. En BAUZÁ MARTORELL, F. J. (Coord.) *La reforma del procedimiento administrativo y del régimen jurídico del sector público*. Instituto de Estudios Autonómicos de Baleares. Colección debates núm. 4. Palma de Mallorca. Pág. 20.

su caso de homicidio) y a la responsabilidad patrimonial para indemnizar el daño considerado antijurídico que un ciudadano haya soportado como consecuencia de una actuación policial (pelotazos de goma, cargas policiales...)[6].

Sin embargo, insistimos, no existe a día de hoy un tratamiento en la legislación administrativa sobre la forma de proceder ante situaciones que afectan a la seguridad y el orden público, extremo que genera indudable indefensión a los efectivos policiales, que muchas de las veces se ven obligados a soportar desconsideraciones y a exponer su integridad física sin poder ejercer la fuerza por un evidente desconocimiento y porque el derecho penal se puede dirigir contra ellos mismos.

Todo ello sin perder de vista que nos hallamos en un contexto sociológico muy particular, en el que la fuerza con carácter general es considerada por un amplio sector de la sociedad como una cuestión a evitar, propia de regímenes totalitarios[7]. No en vano no son pocos los políticos con responsabilidades de gobierno que censuran la actuación policial basada en la fuerza y que posiblemente piensen que a un delincuente agresivo y armado se le puede reducir con palabras amables.

En definitiva el uso de la fuerza policial se erige en centro del debate social, político y mediático, alejándolo así de una serena reflexión que haga posible una regulación seria[8]. Cualquier actuación policial es objeto de

---

[6]   *Vid*. TORRE DE SILVA Y LÓPEZ DE LETONA, V. *Responsabilidad patrimonial de la Administración en materia de seguridad ciudadana*. Tirant lo Blanch. Valencia, 2013.

[7]   Prueba de ello es la supresión progresiva en 2017 de las Unidades Centrales de Seguridad de la Policía Municipal de Madrid, conocida como los anti disturbios, a medida que se incrementa la Unidad Ciclista. Diario ABC en su edición de 24 de octubre de 2017.

[8]   BONANNO, E. R. <<An Evidential Review of Police Misconduct: Officer versus Organization>>. *2015 Undergraduate Awards*. Paper 9.

valoraciones diferentes: partidos conservadores y sindicatos policiales defienden la fuerza empleada, que es radicalmente censurada por partidos de izquierda, ONGs, determinada prensa, colectivos anti sistema...[9]

Y ello a pesar de que el uso de la fuerza no es patrimonio exclusivo de las FCS[10], y que porcentualmente merece escasísima relevancia en la actuación policial: entre el 1 y el 2 por 100 de los encuentros policía-ciudadanos y entre el 15 y el 20 por 100 en los casos de detenciones[11].

La clase dirigente, especialmente en el ámbito municipal, centra todas sus energías en materia de seguridad ciudadana en el reino de las ordenanzas cívicas[12], convertidas en la panacea que obra el milagro de que la gente se comporte en público como ciudadanos ejemplares. En efecto con base en el art. 139 LBRL los municipios en nuestro país están dictando ordenanzas para "el uso cívico de los espacios públicos", "fomentar y garantizar la convivencia", en las que regulan el comercio ambulante, la práctica de sexo o realización de necesidades fisiológicas en lugares públicos, nudismo, consumo de alcohol y

---

[9] WADDINGTON, P. A. J. – WILLIMAS, K. – WRIGHT, M. – NEWBURN, T. *How people judge policing*. Oxford University Press. Oxford, 2017.

[10] No son pocos los colectivos de empleados públicos que, o bien ejercen la fuerza, o bien ordenan ejercerla. Piénsese por ejemplo en celadores de obras, funcionarios de urbanismo, de la Agencia Estatal de Administración Tributaria destinados en aduanas y fronteras…. Y, sin embargo, el debate emocional sobre el uso de la fuerza recae prácticamente en exclusiva sobre las FCS.

[11] SMITH, M. R. – KAMINSKI, R. J. – ALPERT, G. P. – FRIDELL, L. A. – MaCDONALD, J. – KUBU, B. *A Multi-Method Evaluation of Police Use of Force Outcomes*. Final Report of the National Institute of Justice. 2010.

[12] TRAYTER JIMÉNEZ, J. Las ordenanzas cívicas: especial referencia a la Ordenanza de convivencia ciudadana de Barcelona. En AGIRREAZKUÉNAGA ZIGORRAGA, I. (Dir.) *Derechos fundamentales y otros estudios en homenaje al Prof. Dr. Lorenzo Martin-Retortillo*. Vol. 1, 2008. Págs. 537-554.

drogas en la vía pública... para lo cual —en un alarde de *buenismo*— crean una red de agentes cívicos, mediadores... y todo lo que resulte necesario para huir del conflicto y la confrontación, léase de los efectivos policiales y el uso de la fuerza[13].

Ni que decir tiene que esta forma de sortear el uso de la fuerza conlleva un gasto presupuestario absolutamente innecesario[14].

En todos esos supuestos de incivismo la intervención de las FCS se reduce estrictamente a identificar al ciudadano alborotador y levantar acta. Sin embargo el sujeto infractor sigue desnudo por la calle, haciendo sus necesidades fisiológicas o con la música a todo volumen,

---

[13]   Pese al fundamento legal del art. 139 LBRL, estas ordenanzas presentan no pocos problemas de índole jurídica, como es el principio de reserva de ley y la tipicidad, de manera que no es infrecuente que los Tribunales del orden contencioso anulen estas normas. Así, la Sentencia del Tribunal Superior de Justicia de las Illes Balears, Sala de lo Contencioso-administrativo, 45/2016 de 2 de febrero de 2016 (rec. 311/2014) anula la Ordenanza municipal para Fomentar y Garantizar la convivencia cívica en la ciudad de Palma de Mallorca, aprobada el 12 de mayo de 2014 por falta de competencia territorial, funcional y objetiva.

[14]   El día 26 de octubre de 2018 la localidad mallorquina de Valldemossa amanece con un hombre encaramado desnudo sobre el tejado de una casa, lanzando improperios de todo tipo y arrojando tejas a los viandantes que iba arrancando. Durante toda la jornada, mañana y tarde, una pareja de la Guardia Civil del Puesto de Esporlas estuvo en la calle vigilando al individuo; efectivos del SAMUR estuvieron apostados ante la eventualidad que saltara; un equipo de psicólogos trató de convencerle de que bajara; los Bomberos de Mallorca desplegaron un colchón hinchable; y los vecinos de la calle, los grandes perjudicados, no pudieron dirigirse a sus domicilios porque la Policía Local, también dedicada a este menester, cortó el acceso a la calle. ¿Alguien puede contabilizar el gasto que supuso este señor? En ningún momento se le pudo hacer bajar por la fuerza, pero el coste de que por cansancio y por anochecer acabara bajando supuso un gasto difícil de cuantificar, pero en todo caso altísimo.

sin que nadie le pueda hacer declinar de su actitud en el ejercicio de una función policial legítima. El incívico sólo recibirá la notificación del inicio de un procedimiento sancionador, la instrucción del mismo y la resolución de una sanción. Es decir, el procedimiento administrativo se impone a la solución rápida del problema, porque esta última conlleva el uso de la fuerza.

A medida que ha ido creciendo un intervencionismo galopante, España se ha instalado en una burocracia mal entendida, donde el procedimiento administrativo —cada vez más complejo, necesitado de los informes más variopintos y en consecuencia de tiempos de tramitación imperdonables— ha fagocitado el uso de la fuerza, convirtiendo al efectivo policial por un lado en un *sparring* de boxeo que debe contener con su propio cuerpo a las masas agresivas, y por otro en un mero tramitador de denuncias.

En los últimos tiempos asistimos a un aumento escandaloso de la agresividad, especialmente en jóvenes y adolescentes. Las agresiones físicas (a maestros, facultativos sanitarios, agentes de policía, funcionarios de prisiones, y entre particulares), sexuales, psicológicas (acoso en el trabajo, entre alumnos)... se han incrementado exponencialmente, y en sentido inversamente proporcional la actuación de las FCS ve constreñida la posibilidad de usar la fuerza.

Aparecen nuevos escenarios en los que el uso de la fuerza policial parece estar socialmente demonizado y jurídicamente descartado, como el control de fronteras, en el que se debate si las medidas disuasorias (concertinas) de la entrada ilegal en España resultan admisibles o no, si el rechazo del asaltante es una devolución en caliente prohibida por el acervo internacional, o si hacer que un inmigrante baje de la valla al cabo de horas es un delito de torturas por parte de los agentes. En agosto de 2018 una agente de la policía autonómica catalana disparó

contra un ciudadano de nacionalidad argelina que entró
en la Comisaría de Cornellà blandiendo un cuchillo de
cocina de grandes dimensiones y la estuvo persiguiendo
al grito de "Alá es grande", generando un debate social
acerca de si el uso de la fuerza con resultado de muerte
estuvo justificado o no.

Y ello sin entrar en el proceloso mundo de la libertad
de expresión: dados los pronunciamientos judiciales rela-
tivos a la quema de imágenes del Jefe del Estado encuentran amparo en la libertad de expresión[15], ¿qué puede ha-

---

[15]   El 13 de septiembre de 2007, con motivo de la visita institucional del Rey Juan Carlos a Gerona, Jaume Roura y Enric Stern
quemaron una foto de los Reyes durante una concentración en
la Plaza del Vino. Previamente había tenido lugar una manifestación encabezada por una pancarta que decía "300 años de Bor-
bones, 300 años combatiendo la ocupación española". El Juzgado Central de la Audiencia Nacional consideró estos hechos
constitutivos de un delito de injurias a la Corona del art. 490.3
del Código Penal e impuso a los acusados quince meses de prisión, sustituidos por una multa de 2.700 euros. Los condenados
presentaron recurso de apelación y mediante sentencia de 5 de
diciembre de 2008 el Pleno de la Sala de lo Penal de la Audiencia
Nacional lo desestimó al considerar que los hechos enjuiciados
excedían del ejercicio legítimo de la libertad de expresión.
Interpuesto recurso de amparo, el Tribunal Constitucional lo
desestimó por 8 votos frente a 4 en la STC 177/2015, de 22 de
julio, aquí comentada, al considerar que no se habían ejercido los
derechos fundamentales a la libertad ideológica (art. 16 Constitución, CE) y de expresión (art. 20.1 CE) invocados por los
recurrentes. Además, el TC sostuvo que "quemar públicamente el
retrato de los Monarcas es un acto no sólo ofensivo sino también
incitador al odio, en la medida en que la cremación de su imagen
física expresa, de un modo difícilmente superable, que son mere-
cedores de exclusión y odio". Por si fuera poco, añadió: "la con-
notación destructiva que comporta la quema de la fotografía de
los Reyes es innegable y, por ello, tal acción pudo suscitar entre
los presentes reacciones violentas e incompatibles con un clima
social sereno y minar la confianza en las instituciones democráti-
cas, o, en fin, avivar el sentimiento de desprecio o incluso de odio
hacia los Reyes y la institución que representan, exponiendo a SS.
MM. a un posible riesgo de violencia".

cer un efectivo policial ante cruces amarillas sembradas en la arena de la playa o de una rotonda (dominio público en ambos casos)? ¿puede arrancarlas? ¿debe hacerlo? ¿Incurre en responsabilidad si no lo hace? ¿Incurre en responsabilidad si lo hace? Ante la visita de Su Majestad el Jefe del Estado a Barcelona con ocasión del primer aniversario de los atentados de La Rambla y de Cambrils, y la aparición de vallas en las que aparece su retrato boca abajo, ¿qué hace la policía? ¿Debe primera la libertad de expresión y permitir el cartel, o debe valorar el respeto a la Jefatura del Estado y arrancarlo? ¿Puede hacerlo por la fuerza o debe limitarse a levantar acta?

No muy distinto es el caso del denominado movimiento *okupa*, en el que el uso de la fuerza sólo es admitida en el ordenamiento para ejecutar una sentencia judicial de lanzamiento; sin embargo, cuando la ocupación de una vivienda es notoria, con alteración del orden público, con cientos de denuncias de vecinos que viven atemorizados, ni siquiera en estos casos las FCS pueden proceder a desalojar un inmueble so pena de infringir la inviolabilidad del domicilio o de integrar el tipo penal de las coacciones y no digamos las torturas.

Todas estas cuestiones se dan en el seno de las relaciones administrativas, demandan una actuación de las FCS en el ejercicio de las funciones que tienen constitucionalmente encomendadas (art. 104 CE). Y sin embargo el derecho administrativo deja literalmente huérfanas de regulación estas funciones netamente administrativas, de manera que el derecho penal ha venido a cubrir esta laguna cuando el régimen natural de una actividad ad-

---

Agotados los recursos nacionales, los condenados acudieron al Tribunal Europeo de Derechos Humanos, que dictó la Sentencia *Stern Taulats y Roura Capellera c. España*, de 18 de marzo de 2018, donde concluye que las autoridades españolas han vulnerado el artículo 10 del Convenio Europeo de Derechos Humanos.

ministrativa, que se da en el seno del poder ejecutivo, debiera ser el derecho administrativo[16].

A su vez la falta de una normativa completa y clara sobre el uso de la fuerza se suple jurisprudencialmente con criterios vacilantes y hasta dispares, al menos desde la óptica jurídico-administrativa, toda vez que en el orden penal la cuestión ofrece un mayor grado de elaboración[17].

La policía en ocasiones necesita hacer uso de la fuerza y sin embargo el agente se encuentra desvalido ante un ordenamiento incompleto, que no se adapta a los nuevos tiempos. La aprobación de las Leyes de Procedimiento Administrativo y de Régimen Jurídico del Sector Público fueron ocasiones espléndidas para regular esta materia, si bien una vez más pasó desapercibida en la *mens legislatoris*, más pendiente de otras quimeras[18].

La realidad a la que se enfrenta a diario el efectivo policial dista mucho de ser la arcadia que contempla el legislador desde despachos y coches oficiales impermeables a lo que verdaderamente sucede en las calles. Por ejemplo la estadística confirma que existen determinados colectivos con tendencias superiores a la media a infringir la ley, y sin embargo la realización de un control preventivo

---

[16]   BAUZÁ MARTORELL, F. J. (Director) *Derecho administrativo y derecho penal. Reconstrucción de los límites.* Bosch-Wolters Kluwer. Barcelona, 2017.

[17]   CARRO FERNÁNDEZ-VALMAYOR, J. L. <<La polémica europea sobre el uso de las armas como forma de coacción administrativa>> *Revista de Administración Pública* núm. 84. Septiembre-diciembre, 1977. Págs. 77 a 120.

[18]   *Vid.* SANTAMARÍA PASTOR, J. A. <<Los proyectos de ley de procedimiento administrativo común y de régimen jurídico del sector público: una primera evaluación>> *Documentación Administrativa.* Nueva Época. Núm. 2. INAP. 2015. BAÑO LEÓN, J. M. <<La reforma del procedimiento. Viejos problemas no resueltos y nuevos problemas no tratados>>. *Documentación Administrativa.* Nueva Época. Núm. 2. INAP. 2015.

sobre determinados grupos se halla prohibido por el art. 16 de la Ley Orgánica 4/2015, de Protección de la Seguridad Ciudadana: "en la práctica de la identificación se respetarán estrictamente los principios de proporcionalidad, igualdad de trato y no discriminación por razón de nacimiento, nacionalidad, origen racial o étnico, sexo, religión o creencias, edad, discapacidad, orientación o identidad sexual, opinión o cualquier otra condición o circunstancia personal o social". En este sentido, si al elaborar un perfil delincuencial, aparecen datos de nacionalidad, etnia, raza, religión... afloran de inmediato problemas de discriminación, generando un conflicto al efectivo policial[19].

Porque en ocasiones el derecho practicado no resulta amparado por el derecho normado, construido a base de complejos ideológicos y presiones de todo tipo[20], la función policial se ha convertido hoy en una profesión de alto riesgo, no por hallarse el agente expuesto a peligros para la vida o la integridad física, sino por la elevada inseguridad jurídica con la que trabaja cualquier agente[21].

---

[19]   MELERO ALONSO, E. <<Las identificaciones policiales con perfil racial o étnico como instrumento de control migratorio: derecho administrativo del enemigo>> *Revista Española de Derecho Administrativo* núm. 193. Julio-septiembre 2018. Págs. 243 a 274. DE LA SERNA SANDOVAL, C. <<Control de la inmigración en la vía pública: cuando el color de la piel es la frontera>>. En LÓPEZ SALA, A. M. – GODENAU, D. (Coords) Estados de contención, estados de detención. El control de la inmigración irregular en España. Anthropos. Barcelona, 2017. Págs. 75 a 96.

[20]   NIETO, A. *Crítica de la razón jurídica*. Trotta. Madrid, 2007. Págs. 81 y ss.

[21]   En derecho italiano CARRER y SALOMON definen las funciones policiales de orden público como "la tumba de cualquier policía, ya que en el plano operativo reúne un conjunto de situaciones dinámicas de extrema dificultad de gestión, en el plano jurídico innumerables situaciones de difícil interpretación y causa de problemas con la magistratura; en el plano de la imagen y de publicidad la causa de las peores relaciones con los medios

Hasta existen formas novedosas de suicidio enfrentándose violentamente a las FCS para que a uno le disparen y le faciliten lo que no es capaz de hacer[22].

En cualquier caso la intervención administrativa en materia de seguridad, en tanto que actividad de limitación, tiene que ser objeto de revisión por parte del legislador, en aras a la libertad de los ciudadanos, la seguridad jurídica de los operadores y la eficacia de las Administraciones Públicas[23].

2. LA FUERZA EN LOS SISTEMAS JURÍDICOS

A. *Sistema anglosajón y sistema europeo.*

El uso de la fuerza por los efectivos policiales se enmarca en un contexto más amplio de la cultura jurídica

---

de comunicación y sus operarios, agravada por la ignorancia, prejuicios y la presencia de provocadores de todo tipo; en las relaciones con los ciudadanos comporta situaciones susceptibles de miles de interpretaciones que pueden echar por tierra en una hora de locura años de colaboración y buena relación, en el plano gremial y de la carrera, el destino con más riesgos y por mucho tiempo alejado de reconocimiento y de promoción por parte de los superiores". CARRER, F. – SALOMON, J. C. (Coords.) *L'ordine pubblico. Un equilibrio fra il disordine sopportabile e l'ordine indispensabile*. Ed. Franco Angeli. Milà, 2011.

[22] La doctrina americana se refiere a este hecho como el *suicide by cop*, y se ha llegado a analizar que hasta un 11 por 100 de tiroteos con policías se deben a esta práctica, que puede ser nociva y letal para los agentes, sin perjuicio de los problemas jurídicos que ello les puede acarrear. HUTSON, H. R. ANGLIN, D. – TARBROUGH, J. HARDAWAY, K. RUSSELL, M. – STROTE, J. – CANTER, M. – BLUM, B. <<Suicide by cop>> *Annals of Emergency Medicine*, 32. 1998. Págs. 665 a 669.

[23] REBOLLO PUIG, M. – IZQUIERDO CARRASCO, M. <<Los medios jurídicos de la actividad administrativa de limitación>> en REBOLLO PUIG, M. – VERA JURADO, D. J. *Derecho Administrativo. Tomo III. Modos y medios de la actividad administrativa de limitación*. Tecnos. Madrid, 2017.

sobre la violencia. En el sistema anglosajón, concretamente en Estados Unidos, se admite pacíficamente el uso de la fuerza privada para repeler una agresión o un asalto al domicilio. La respuesta con armas de fuego por el propietario forma parte no tanto de la legítima defensa, sino incluso de una colaboración ciudadana contra la delincuencia, todo ello en un contexto que prima la seguridad por encima de la libertad.

En cambio en el sistema administrativo europeo la situación es muy distinta. Al particular sólo de manera muy excepcional se le permite ejercer funciones reservadas a los efectivos policiales. Tal es el caso de la detención por particulares, que sólo es posible en los casos tasados del art. 490 LECrim[24] y aun así es objeto de interpretación restrictiva.

Otro tanto sucede con la legítima defensa. Concretamente en España la misma conducta que en Estados Unidos es considerada legítima defensa, aquí resulta integradora de un tipo penal de lesiones o de homicidio agravado.

Curiosamente un particular que ve cómo le están sustrayendo un objeto de su propiedad (un vehículo, por ejemplo), o cómo le allanan su casa, y no puede aplicar la fuerza so pena de correr el riesgo de cometer un delito, y en cambio debe limitarse a esperar la actuación de las FCS. Dicho de otra forma, tiene que consentir que le

---

[24] Cualquier persona puede detener: 1.º Al que intentare cometer un delito, en el momento de ir a cometerlo; 2.º Al delincuente, «in fraganti»; 3.º Al que se fugare del establecimiento penal en que se halle extinguiendo condena; 4.º Al que se fugare de la cárcel en que estuviere esperando su traslación al establecimiento penal o lugar en que deba cumplir la condena que se le hubiese impuesto por sentencia firme; 5.º Al que se fugare al ser conducido al establecimiento o lugar mencionado en el número anterior; 6.º Al que se fugare estando detenido o preso por causa pendiente; 7.º Al procesado o condenado que estuviere en rebeldía.

lesionen sus derechos hasta el final, sin poder responder con sus propios medios.

Con la fuerza de las FCS sucede algo parecido. En el sistema americano los efectivos policiales gozan de unas facultades para disparar especialmente en el momento de la detención que sencillamente no existen en Europa. No es menos cierto que en Estados Unidos se han cometido excesos que han provocado desórdenes públicos, pero de lo que no se duda es que la policía no titubea en el uso de la fuerza.

En Europa la seguridad es un bien protegido que se encuentra al mismo nivel que otros bienes como la libertad —individual o colectiva— o el derecho de manifestación. De ahí que la casuística una vez más resulte determinante para cualquier análisis jurídico, sin que exista un corpus jurídico, un marco general de actuación que permita a los efectivos policiales tener conocimiento del alcance de su actuación en función de las circunstancias que vayan a tener que afrontar.

Esta laguna, de notables consecuencias, se suma a una evolución de la sociedad hacia la contestación grosera, a la falta de respeto en general a la autoridad (agresiones a maestros, personal facultativo, funcionarios de prisiones...) y a las amenazas a los efectivos policiales, captación de imágenes de miembros de las FCS que se divulgan en redes sociales con indicación de sus domicilios, cuando no la agresión física y la sustracción de armamento[25].

---

[25] El Auto del Juzgado Central de Instrucción núm. 3 de la Audiencia Nacional, que acuerda prisión provisional comunicada y sin fianza para los dos presidentes de las entidades Asamblea Nacional Catalana y Ómnium Cultural, relata cómo los congregados para impedir la salida de la Letrada de la Administración de Justicia y miembros de la Guardia Civil de la Consejería de Hacienda de la Comunidad Autónoma de Cataluña el día 21 de septiembre de 2017, "pincharon ruedas y destrozaron diversos coches patrulla de la Guardia Civil. Otros impidieron a los

Ni el Código Penal ni la LECrim son capaces de responder a estas situaciones, que cada vez resultan menos excepcionales. Mucho menos los tradicionales pronunciamientos judiciales, fundados en meros principios generales de congruencia y proporcionalidad en ocasiones muy alejados de la realidad vivida por el agente.

Existen cuestiones administrativas reguladas en textos penales. El art. 297 LECrim considera el atestado una denuncia; el mismo es confeccionado por las FCS, que son Administración Pública, aun cuando lleven a cabo funciones de policía judicial; y sin embargo el atestado se regula en la LECrim y no en una ley administrativa especial de policía omnicomprensiva de todo el régimen jurídico de la actuación policial como más adelante propondremos.

No se puede consentir que los efectivos policiales desarrollen el más mínimo reparo a actuar o que se jueguen la expulsión del cuerpo por aplicar la fuerza aun de manera justificada, pero no siempre reconocida en un proceso judicial o disciplinario. Remover a un ciudadano de la vía pública que entorpece el tráfico y arriesga su propia vida se traduce en una denuncia al agente por detención ilegal y torturas.

La protección de los derechos humanos también ha ido experimentando una evolución destacable. De unos años a esta parte la tortura ha dejado de ser en exclusiva el tipo penal en que podía incurrir una práctica policial.

---

agentes de la Guardia Civil, Cuerpo Nacional de Policía y a los integrantes de la comisión judicial abandonar los edificios tras los registros practicados. Otros manifestantes se sentaron sobre el asfalto delante de los coches y furgonetas de la Guardia Civil para impedir su movilidad. Otros procedieron a empujar a los agentes y a bloquear la salida de un vehículo de la Guardia Civil". Esta misma situación del uso instrumental de la fuerza de los manifestantes para impedir la actuación de la Administración de Justicia aparece relatada en el Auto del Tribunal Supremo, Sala Segunda, de lo Penal, de 21 de marzo de 2018 (rec. 20907/2017).

El credo musulmán ha incorporado la problemática de velos y pañuelos que cubren el pelo y en ocasiones el rostro. La necesidad de identificar a una persona por razones de seguridad exige descubrir la cara y el pelo, cuando no practicar un desnudo integral. Y aquí se suscita otro conflicto, no resuelto por el ordenamiento jurídico, porque el efectivo policial desconoce en qué supuestos encuentra justificación y cómo puede resolver conforme a Derecho las distintas incidencias que puedan sucederse[26].

En términos generales debemos rendirnos a la evidencia de que se está forjando sociológica y antropológicamente un nuevo concepto de seguridad ciudadana y de orden público, casi nunca acompañado por la adaptación del ordenamiento jurídico[27].

Tampoco se puede consentir que los efectivos policiales tengan que soportar estoicamente todo tipo de insultos, o que les arrojen lejía, harina y hasta orina. Y no digamos la agresión orquestada por grupos de alborotadores sin poder repelerla[28]. Es evidente que la proporcio-

---

[26] Sobre esta materia, *vid.* la monografía y toda la bibliografía que cita GONZÁLEZ BOTIJA, F. *Orden público y libertad (Vestimenta, comunicación comercial y audiovisual, ocio y banderas).* Atelier. Barcelona, 2018. El autor analiza la jurisprudencia del Tribunal Supremo a partir de la Sentencia de 14 de febrero de 2013 (rec. 4118/2011) y del TEDH sobre el uso del burka o velo integral.

[27] PONCE SOLÉ, J. << ¿Hacia un nuevo concepto europeo de orden público? A propósito de la Sentencia del Tribunal Europeo de Derechos Humanos de 2014 sobre el burka: ¿Obligación jurídica de vivir juntos o Derecho a autoexcluirse y ser un "outsider"?>> *Revista Española de Derecho Administrativo* núm. 170. Civitas, 2015. Págs. 215-240.

[28] En las verbenas de Majadahonda del verano de 2017 grupos de delincuentes rodearon a efectivos de la Guardia Civil, que se estuvieron defendiendo como pudieron ante el lanzamiento de todo tipo de objetos, mientras alguno de los agresores animaba a otros a sumarse al ataque. El 1 de octubre de 2017 en Cataluña se lanza una silla a un Guardia Civil que accede a un colegio para requisar urnas y papeletas, derribándole sin piedad. El 26

nalidad debe ser bidireccional y que en caso de agresión a los agentes deberían poder hacer uso de la fuerza, incluidas las armas.

Todo ello da idea de que el Derecho no se encuentra a la altura de las circunstancias, y que debe ser objeto de análisis y reflexión para adaptarse a situaciones que antaño no se podían prever, de ahí que en las páginas que siguen se aborde esta problemática y se propongan soluciones *de lege ferenda*.

B. La problemática reciente en Estados Unidos

No puede entenderse el uso de armas por particulares en Estados Unidos sin dos importantes Sentencias del Tribunal Supremo —*Distrito de Columbia contra Heller* y *McDonald contra Chicago*— que admiten que el uso de armas constituye un derecho constitucional reconocido en la Segunda Enmienda[29].

En efecto en estas dos Sentencia el Tribunal Supremo de los EEUU ha tenido que interpretar la Segunda Enmienda —en el seno de un debate fuertemente politizado, con una fuerte presencia del lobby de la Asociación Nacional del Rifle y de la industria armamentística— y declarar si el derecho al uso privado de la fuerza se encuentra o no "fuertemente enraizado en la historia de la Nación y sus tradiciones"[30].

---

de julio de 2018 más de seis cientos inmigrantes saltan la valla de Ceuta agrediendo a los agentes de la Guardia Civil con machetes y arrojándoles cal viva.

[29] Para un estudio exhaustivo sobre la materia, *vid.* HERNÁNDEZ-PINZÓN GARCÍA, A. <<El derecho constitucional a las armas en EEUU>> *Revista Jurídica de la Universidad Autónoma de Madrid* núm. 21. 2010-I. Págs. 133 a 148.

[30] En la Sentencia *Washington contra Glucksberg* de 26 de junio de 1997 el Tribunal Supremo acuña este concepto para entender la vigencia de determinadas disposiciones.

En concreto la Segunda Enmienda a la Constitución de EEUU, adoptada el 15 de diciembre de 1791, es del siguiente tenor literal: "Siendo necesaria una milicia bien organizada para la seguridad de un Estado libre, no se podrá restringir el derecho que tiene el Pueblo a poseer y portar armas".

En una interpretación histórica el *Bill of Rights* de EEUU (Enmiendas primera a décima de la Constitución estadounidense) debe ponerse en relación con el derecho reconocido a los protestantes ingleses en su declaración de derechos de 1869 (*English Bill of Rigths*) de que nunca serían desarmados[31]. En consecuencia cuando los padres peregrinos llegaron a Plymouth (Masachussets) a bordo del Mayflower, ya era poseedores de un derecho reconocido en Inglaterra que les permitía portar armas, hasta el punto de que una de las sanciones por mal comportamiento era la restricción de este derecho[32].

Lo cierto y verdad es que cuatro años después de aprobar la Constitución en la Convención de Filadelfia, se aprobaba la Segunda Enmienda. Cuatro Estados llegaron a adoptar para sí el derecho de la Segunda Enmienda antes de que ésta fuera ratificada (Pensilvania, Vermont, Carolina del Norte y Massachussets), mientras que otros nueve Estados adoptaron disposiciones constitucionales estatales protegiendo el derecho individual a poseer armas entre 1789 y 1820 (Kentucky, Ohio, Indiana, Missouri, Mississippi, Connecticut, Alabama, Tenesee y Maine).

No obstante lo anterior la problemática jurídica entorno a este derecho a portar armas apareció en el siste-

---

[31]   "That the subjects which are Protestants may have arms for their defence suitable to their conditions and as allowed by law".

[32]   Jenkins explica que los católicos que no acudían a Misa en Inglaterra eran sancionados a no tener permitido el uso de armas. JENKINS, J. A. *The American courts. A procedural approach*. Jones and Bartlett Publishers. Sudbury, 2009. Pág. 266.

ma de fuentes del Derecho, en el sentido de si la Segunda Enmienda se aplicaba exclusivamente al Gobierno federal y por ello nada impedía que leyes estatales limitaran este derecho. Este fue el parecer de la Sentencia de 1875 Estados Unidos contra Cruikshank.

Posteriormente y a raíz de la Matanza del día de San Valentín (14 de febrero de 1929) en Chicago (ciudad con un nivel elevado de violencia como consecuencia de la implantación de organizaciones mafiosas), el Congreso aprobó la Ley Nacional de Armas de Fuego en 1934 (*National Firearms Act*), que creaba un impuesto de 200 dólares a las armas de fuego, con un fin esencialmente regulador de control. Dos criminales, Jack Miller y Franck Layton fueron detenidos por no poseer armas sin pagar el correspondiente impuesto. En la Sentencia *Estados Unidos contra Miller* el Tribunal Supremo por unanimidad entendió que el derecho a portar armas de la Segunda Enmienda se reducía exclusivamente a la milicia de la que habla la Enmienda, sin que este derecho pueda extenderse a fines estrictamente particulares.

En este contexto es cuando se plantean sendos procedimientos en los que el Tribunal Supremo dicta Sentencia en ambos casos por cinco votos frente a cuatro, extremo que confirma la fuerte división.

— Distrito de Columbia contra Heller

La Sentencia del Tribunal Supremo de 26 de junio de 2008 respondía al recurso interpuesto por el Distrito de Columbia contra una Sentencia del Tribunal de apelación que declaraba inconstitucional la prohibición de la posesión de pistolas y los requisitos para el mantenimiento de otras armas de fuego en el hogar establecida por dicho Distrito mediante ley. Esta Ley tipificaba como delito la mera posesión de armas de fuego no registradas, si bien administrativamente no era posible registrar armas de fuego.

El Sr. Dick Heller, oficial de policía autorizado para portar armas de fuego en sus horas de servicio en el Centro Judicial Federal, solicitó la inscripción registral de una pistola que deseaba custodiar en su casa. Denegada por el Distrito de Columbia la solicitud, el Sr. Heller interpuso demanda ante el Tribunal Federal para el Distrito de Columbia, alegando que la prohibición del registro de pistolas violaba el derecho establecido en la Segunda Enmienda. El Tribunal consideró que la Segunda Enmienda protege el derecho individual a poseer armas de fuego, y que la prohibición total del Distrito violaba este derecho.

El Tribunal Supremo, en la Sentencia de la que fue ponente el Juez conservador Antonin Scalia –después de mostrar su preocupación por los problemas causados por la violencia con armas de fuego, rechazó las pretensiones del Distrito de Columbia y declaró que la prohibición de la posesión de pistolas violaba la Segunda Enmienda.

— **McDonald contra Chicago.**

La anterior Sentencia de *Distrito de Columbia contra Heller* propició que un grupo de ciudadanos formulara demanda frente al Tribunal de Distrito para el Distrito Norte de Illinois contra la prohibición de la posesión de pistolas en el hogar vigente en la ciudad de Chicago[33].

Desestimada la demanda, los demandantes recurrieron ante el Tribunal Supremo por entender que la doctrina Heller resultaba aplicable a la ciudad de Chicago, donde el Código Municipal prohibía la tenencia de armas de fuego en el hogar. El Sr. octogenario Otis McDonald y la Sra. Colleen Lawson habían sido víctimas de delitos y,

---

[33]   A esta demanda se uniría la Asociación Nacional del Rifle y dos residentes de Oak Park, un suburbio de Chicago.

pese a tener armas de fuego, no podían auto protegerse y debían almacenarlas fuera de los límites de la ciudad.

Un dato ciertamente revelador en el seno de este procedimiento es que, a través de la figura procesal del *amicus curie*, que permite que personas físicas y jurídicas interesadas puedan personarse en el procedimiento, el Instituto Heartland aportó datos al proceso que confirmaban que, desde la prohibición de las armas de fuego, las muertes causadas por las mismas habían aumentado significativamente y que el 80 por 100 de los asesinatos se cometieron con armas ilegales.

En su Sentencia de 28 de junio de 2010 el Tribunal Supremo reconoció la validez de la Sentencia *Distrito de Columbia contra Heller* y admitió que la autodefensa —"un derecho básico, reconocido por muchos sistemas legales desde la Antigüedad hasta nuestros días"— es el componente central de la Segunda Enmienda. Para el ponente, el Juez Samuel A. Alito, "la Segunda Enmienda protege el derecho personal a poseer y portar armas con intenciones legales, especialmente la autodefensa del hogar".

En cualquier caso y a pesar de la fuerte división sobre este asunto, la principal conclusión de esta Sentencia, al igual que en Heller, para el Tribunal Supremo "las disposiciones del *Bill of Rights* que protegen un derecho que es fundamental desde una perspectiva americana son de aplicación tanto al Gobierno federal como a los estados".

II. FUNCIÓN POLICIAL Y DERECHO

1. LA FUERZA EN LA FUNCIÓN POLICIAL

El ejercicio de la fuerza resulta indispensable para el mantenimiento de la cohesión en una comunidad social[34]. En un Estado de Derecho sólo las FCS ostentan la legitimidad para poder requerir coactivamente de los ciudadanos una determinada conducta de hacer o no hacer, siempre de acuerdo con una fundamentación jurídica y un presupuesto constitucional[35]. Otra cosa es que la escasez de normas especiales revele carencias importantes en el ejercicio de la fuerza[36].

En efecto la orfandad normativa es un hecho evidente, que no puede enmascararse detrás de grandes tratados internacionales que no pasan de ser meras declaraciones programáticas[37].

---

[34] LAVEAGA, G. (*et alteri*) *El uso de la fuerza pública en un Estado democrático de Derecho. Memoria del Congreso Internacional.* Instituto Nacional de Ciencias Penales. Méjico, 2011. JIMÉNEZ ASENSIO, R. *Convivir en la ciudad.* Fundación Democracia y Gobierno Local/FEMP. Madrid/Barcelona, 2011.

[35] BARCELONA LLOP, J. <<Sobre las funciones y organización de las fuerzas de seguridad: presupuestos constitucionales, problemática jurídica y soluciones normativas>> *Revista Vasca de Administración Pública* núm. 29. Oñati. Enero-abril 1991. Págs. 9 a 41.

[36] MARTÍNEZ MERCADO, F. *Uso de la fuerza.* Instituto de Asuntos Públicos. Universidad de Chile. Pág. 4.

[37] Convención contra la tortura y otros tratos o penas crueles, inhumanos o degradantes de Naciones Unidad, Convención Interamericana para prevenir y sancionar la tortura, Convenio europeo para la prevención de la tortura y de las penas o tratos

El uso de la fuerza parte de una especial complejidad en todas sus manifestaciones, desde su concepto hasta sus límites[38]. El Diccionario del Español Jurídico la define como el "empleo de medidas de carácter armado por parte de un Estado, prohibido por la Carta de las Naciones Unidas, salvo en ejercicio del derecho de legítima defensa o en aplicación de las medidas coercitivas autorizadas por el Consejo de Seguridad conforme al Capítulo VII de la misma"[39].

No obstante lo anterior, la fuerza se perfila en Derecho a partir de adjetivos y adverbios. No en vano la fuerza es legítima o ilegítima, proporcionada o desproporcionada, suficiente o excesiva, congruente, racional, oportuna, conforme a los derechos humanos... y toda una batería de requisitos cualitativos de evidente imprecisión.

Se hace impracticable en consecuencia el diseño de un régimen jurídico claro del uso de la fuerza por parte de las FCS cuando ni siquiera somos capaces de abordar su definición si no es con base en los principios jurídicos del derecho y al socaire de una casuística que impide un corpus jurídico en derecho positivo.

Los textos internacionales en la materia no pasan de constituir meras declaraciones de intenciones exentas de cualquier concreción. Así, el Octavo Congreso de las Na-

---

inhumanos o degradantes, Resolución de Naciones Unidas de 1990 sobre principios básicos sobre el empleo de la fuerza y de las armas de fuego, Resolución de Naciones Unidas de 1988 sobre principios para la protección de todas las personas sometidas a cualquier forma de detención o prisión...

[38]   GUERRERO AGRIPINO, L. F. – SANTIAGO ÁLVAREZ, A de. <<El uso legítimo de la fuerza policial: breve acercamiento al contexto mexicano>> *Ciencia Jurídica* Año 1, núm. 3. Universidad de Guanajuato. Pág. 41.

[39]   MUÑOZ MACHADO, S. *Diccionario del Español Jurídico*. Real Academia Española. Consejo General del Poder Judicial. Madrid, 2016.

ciones Unidas sobre Prevención del Delito y Tratamiento del Delincuente, celebrado en La Habana (Cuba) del 27 de agosto al 7 de septiembre de 1990 aprobó el documento "Principios básicos sobre el Empleo de la Fuerza y de Armas de Fuego por los Funcionarios Encargados de Hacer Cumplir la Ley", cuyo título da idea de su carácter meramente programático[40]. El documento impone a los funcionarios la obligación de agotar otros medios menos nocivos antes que acudir al uso de la fuerza o de armas de fuego, debiendo utilizarlas con moderación y proporcionalmente al objeto que ha de lograrse. Obliga a que los agentes sean seleccionados entre personas psicológica y físicamente aptas, debiendo recibir formación minuciosa en el empleo de la fuerza, así como en la solución pacífica de altercados, con inclusión de técnicas de persuasión, negociación y mediación.

Por su parte la Resolución 690 de 1979, de la Asamblea Parlamentaria del Consejo de Europa, aprueba la Declaración sobre la Policía, que en su considerando segundo admite que "las reglas que conducen a sus miembros (de la policía) no son definidas con una precisión suficiente", sin que desde entonces la situación haya mejorado, antes al contrario. En su punto trece este Texto recomienda a los Estados "dar a los funcionarios de Policía instrucciones claras y precisas sobre la manera y las circunstancias en las cuales deben hacer uso de sus armas".

En nuestro país con carácter general la Ley Orgánica 2/1986, de 13 de marzo, de Fuerzas y Cuerpos de Seguridad del Estado (en adelante, LOFCSE) encomienda

---

[40]   En su punto cuarto, relativo al empleo de la fuerza, este Documento advierte que "los funcionarios encargados de hacer cumplir la ley, en el desempeño de sus funciones, utilizarán en la medida de lo posible medios no violentos antes de recurrir al empleo de la fuerza y de armas de fuego. Podrán utilizar la fuerza y armas de fuego solamente cuando otros medios resulten ineficaces o no garanticen de ninguna manera el logro del resultado previsto".

en su art. 11 a las FCSE la misión de proteger el libre
ejercicio de los derechos y libertades y garantizar la seguridad ciudadana mediante el desempeño de las siguientes
funciones:

a) Velar por el cumplimiento de las Leyes y dispo-
    siciones generales, ejecutando las órdenes que
    reciban de las Autoridades, en el ámbito de sus
    respectivas competencias.

b) Auxiliar y proteger a las personas y asegurar la con-
    servación y custodia de los bienes que se encuentren
    en situación de peligro por cualquier causa.

c) Vigilar y proteger los edificios e instalaciones pú-
    blicos que lo requieran.

d) Velar por la protección y seguridad de altas perso-
    nalidades.

e) Mantener y restablecer, en su caso, el orden y la
    seguridad ciudadana.

f) Prevenir la comisión de actos delictivos.

g) Investigar los delitos para descubrir y detener a
    los presuntos culpables, asegurar los instrumentos,
    efectos y pruebas del delito, poniéndolos a disposi-
    ción del Juez o Tribunal competente, y elaborar los
    informes técnicos y periciales procedentes.

h) Captar, recibir y analizar cuantos datos tengan
    interés para el orden y la seguridad pública, y es-
    tudiar, planificar y ejecutar los métodos y técnicas
    de prevención de la delincuencia.

i) Colaborar con los Servicios de Protección Civil en
    los casos de grave riesgo, catástrofe o calamidad
    pública, en los términos que se establezcan en la
    legislación de Protección Civil.

Como puede apreciarse, la redacción de estas funciones no es menos que teórica y abstracta, y en cualquier

caso muy lejos de conferir un marco jurídico seguro de actuación a las FCS. De la misma manera resulta huérfano de contenido el principio de actuación que la Ley Orgánica impone a los efectivos policiales cuando les obliga a actuar en el ejercicio de sus funciones con la decisión necesaria, y sin demora cuando de ello dependa evitar un daño grave, inmediato e irreparable; rigiéndose al hacerlo por los principios de congruencia, oportunidad y proporcionalidad en la utilización de los medios a su alcance.

Así, el art. 5.2 LOFCS enumera con carácter singular los principios básicos de actuación de las relaciones de las FCS con la comunidad:

a) Impedir, en el ejercicio de su actuación profesional, cualquier práctica abusiva, arbitraria o discriminatoria que entrañe violencia física o moral.

b) Observar en todo momento un trato correcto y esmerado en sus relaciones con los ciudadanos, a quienes procurarán auxiliar y proteger, siempre que las circunstancias lo aconsejen o fueren requeridos para ello. En todas sus intervenciones, proporcionarán información cumplida, y tan amplia como sea posible, sobre las causas y finalidad de las mismas.

c) En el ejercicio de sus funciones deberán actuar con la decisión necesaria, y sin demora cuando de ello dependa evitar un daño grave, inmediato e irreparable; rigiéndose al hacerlo por los principios de congruencia, oportunidad y proporcionalidad en la utilización de los medios a su alcance.

d) Solamente deberán utilizar las armas en las situaciones en que exista un riesgo racionalmente grave para su vida, su integridad física o las de terceras personas, o en aquellas circunstancias que puedan suponer un grave riesgo para la seguridad ciudadana y de conformidad con los principios a que se refiere el apartado anterior.

En efecto resulta obligado preguntarse cómo un efectivo policial debe afrontar una situación de derecho administrativo que requiera el uso de la fuerza: un enfermo contagioso que deambula por la calle; alguien que circula desnudo; otro que rompe mobiliario urbano; otro que se asea en una fuente pública. ¿Qué puede hacer el agente actuante? ¿Debe limitarse a identificar al sujeto y formular denuncia? ¿Puede practicar la fuerza y doblegar su voluntad para que deje de hacer lo que hace?

La función policial es una actividad administrativa, y como tal debe enmarcarse en la legalidad[41], aun con todos los matices que la particularidad de la actividad requiera[42]. Lo contrario supone alejarnos del Estado de Derecho. En consecuencia, resulta indispensable que la ley regule la intervención policial en todo su recorrido, que lógicamente comprende el uso de la fuerza[43] ante necesidades de lo que la doctrina alemana denominó de defensa administrativa[44].

---

[41]   CARRO FERNÁNDEZ-VALMAYOR, J. L. <<Sobre responsabilidad administrativa y coacción directa>> *Revista de Administración Pública* núm. 100-102, enero-diciembre, 1983. Págs. 1171 y 1172. *Vid.* asimismo BARCELONA LLOP, J. *Policía y Constitución*. Tecnos. Madrid, 1997.

[42]   REBOLLO PUIG, M. <<La peculiaridad de la policía administrativa y su singular adaptación al principio de legalidad>> *Revista Vasca de Administración Pública* núm. 54. 1999. Págs. 247 a 282.

[43]   Sobre los orígenes históricos de la actividad de policía y su vinculación al *povoir municipal, vid.* VANDELLI, L. *El poder local. Su origen en la Francia revolucionaria y su futuro en la Europa de las regiones*. MAP-INAP. Madrid, 1992. *Vid.* asimismo GARCÍA DE ENTERRÍA, E. *Revolución francesa y Administración contemporánea*. Civitas. 4ª edición. Madrid. 2011.

[44]   MAYER, O. *Derecho administrativo alemán*. Depalma. 2ª edición. Buenos Aires, 1982. Pág. 141.

En este sentido un policía que no haga uso de la fuerza cuando las circunstancias lo requieren, no está ejerciendo su actividad con arreglo a Derecho, y hasta incurre en desviación de poder por omisión, porque la Administración —debiendo ejercitar sus potestades— consigue un resultado prohibido por el ordenamiento, "precisamente gracias a su inactividad"[45]. Pero si la ley no regula una parte de esa función, entonces la función policial queda sesgada, lo cual significa decir que el poder público se auto cercena[46]. Dicho de otra forma, la fuerza, como actividad de intervención que es, no puede resultar incompleta, sino que necesita de una garantía institucional, siempre en el contexto del reconocimiento y defensa de los derechos humanos[47].

---

[45]   SORIANO GARCÍA, J. E. <<Hacia el control de la desviación de poder por omisión>> *Revista Española de Derecho Administrativo* núms. 40-41. 1984. Págs. 173 a 194. Para este autor, "el verdadero titular del poder sigue siendo el ciudadano, que sostiene la Administración y su aparato, y si cede a tal vicario dichos poderes es precisamente para que actúe y además para que lo haga en el sentido previsto por la norma. Lo contrario significa la consagración de la pura arbitrariedad, que confunde la aplicación de la legalidad con la autonomía de la voluntad, refugio soberano de los sujetos privados, pero en ningún caso de los sujetos públicos".

[46]   Intencionadamente he evitado el verbo limitar, porque —como toda actividad pública que es— la de policía también se encuentra limitada por el ordenamiento jurídico y el principio de legalidad. No obstante, no es a este límite al que nos referimos en este punto, sino a una auto mutilación por despojarse de un medio esencial para el ejercicio de la función policial. Sobre los límites legales de la actividad de policía, *vid.* GARCÍA DE ENTERRÍA, E. <<Sobre los límites del poder de policía general y del poder reglamentario>> *Revista Española de Derecho Administrativo* núm. 5. 1975. Págs. 203 1 214.

[47]   MERKEL, L. *Derechos humanos e intervención policial.* Marcial Pons. Madrid, 2022. Pág. 35.

2. JURIDIFICACIÓN
Y PROCEDIMENTALIZACIÓN
DE LA FUERZA

La actividad de policía se define con carácter general como aquella actividad de la Administración que, en vista de la consecución y el mantenimiento del orden público, se ejercita limitando los derechos de los administrados y, eventualmente mediante el ejercicio de la coacción sobre los mismos[48].

Esta actividad de limitación encuentra su fundamento en la perturbación o peligro de perturbación del orden público por parte de particulares, que obliga a intervenir a las FCS en el ejercicio del reconocimiento y tutela de los derechos del resto de ciudadanos[49].

Como cualquier actuación administrativa, en un contexto de separación de poderes que constituye la clave de bóveda del Estado de Derecho, el uso de la fuerza se encuentra juridificado y debe responder al principio de legalidad.

Nuestro ordenamiento jurídico no contiene cláusulas generales de apoderamiento que supongan la atribución de poderes ilimitados a la policía, como tampoco la cláusula de orden público habilita en absoluto para que la Administración configure a su arbitrio cualquier medida interventora[50].

---

[48]   ENTRENA CUESTA, R. *Apuntes de Derecho administrativo. Parte especial.* Madrid, 1958-1959. Pág. 9.

[49]   ENTRENA CUESTA, R. <<Notas sobre el concepto de Estado de Derecho>> *Revista de Administración Pública* núm. 33. Septiembre/diciembre, 1960. Págs. 4 y ss.

[50]   GARCÍA DE ENTERRÍA, E. *La construcción técnica del principio de legalidad de la Administración. Miscelánea en honor a Juan Becerril.* Madrid, 1974. Vol. 1. Págs. 151 y ss. Sobre el concepto de orden público, *vid.* MARTÍN-RETORTILLO BAQUER, L. <<Notas para la historia de la noción de orden pú-

La necesidad de someter a revisión jurisdiccional cualquier actuación administrativa obliga a no dudar de la juridicidad[51] y procedimentalización del uso de la fuerza, y especialmente a identificar el acto administrativo que sea susceptible de revisión jurisdiccional o incluso de reclamación de indemnización por daños.

Esta reflexión nos conduce inevitablemente a la naturaleza jurídica de este acto de coacción directa. Tradicionalmente tenemos la tendencia a pensar que la fuerza se circunscribe a la ejecución meramente material de un acto administrativo, y eso no es así siempre ni en cualquier caso.

En efecto el uso de la fuerza constituye una actuación administrativa de un empleado público habilitado para ello, de suerte que no podrá utilizarla un auxiliar administrativo de servicios generales, sino un agente de las FCS, bombero, protección civil, vigilancia aduanera, centro penitenciario... es decir, alguien con un título específico que le atribuya ese medio para el ejercicio de sus funciones.

La fuerza en este sentido engloba tanto un acto de ejecución material de un acto administrativo previo —lo que constituye un acto material— como un acto administrativo en sí mismo. Y esta es una excepción —que el derecho positivo silencia— al art. 97 LPAC: "Las Administraciones Públicas no iniciarán ninguna actuación material de ejecución de resoluciones que limite derechos

---

blico>> *Revista Española de Derecho Administrativo* núm. 36. 1983. Págs. 19 a 38.

[51] El planteamiento de Otto Mayer —contestado duramente por Ranelletti— sobre un Derecho natural de policía, que se legitimaba por sí mismo para intervenir en la libertad y propiedad de los ciudadanos resulta incompatible con el Estado de Derecho. Al igual que la sugerencia de Jellinek de "cerrar un ojo" cuando la potestad de policía no pudiese fundamentarse en ningún texto formal.

de los particulares sin que previamente haya sido adoptada la resolución que le sirva de fundamento jurídico"[52].

Todo acto administrativo se descompone en las fases de deliberación, toma de decisión, exteriorización y ejecución, siendo así que generalmente el dictado del acto corresponde al titular de un órgano administrativo; la notificación se atribuye a los servicios generales y horizontales de un departamento administrativo (oficinas de registro, agentes notificadores...) y la ejecución corresponde en ocasiones a agentes de la autoridad.

Este esquema quiebra sobre manera en la coacción directa, cuya singularidad descansa sobre el apoderamiento legal a los agentes de ejecución para la adopción regular de las decisiones que ellos mismos deberán ejecutar, casi en unidad de acto. La imprevisibilidad y la eventual urgencia de las situaciones que las FCS se puedan encontrar, determina que la Ley sitúe las potestades deliberativa y ejecutiva sobre un mismo empleado público, destinado convencionalmente en circunstancias normales a ser un mero ejecutor de un acto[53].

Por consiguiente el agente de la autoridad revestido para el uso de la fuerza no siempre se limita a ejecutar "en línea directa de continuación" del acto, sino a —ponderando las circunstancias— resolver a partir de unos hechos y una fundamentación jurídica, e inmediatamente seguido ejecutar esta resolución[54]. No en vano con carácter previo a una detención o al uso del arma reglamen-

---

[52]   Con la misma redacción en el art. 93 LRJ-PAC.
[53]   FERNÁNDEZ RODRÍGUEZ, T. R. <<Las medidas de policía: su exteriorización e impugnación>> *Revista de Administración Pública* núm. 61. Enero-abril, 1970. Pág. 138.
[54]   SAINZ MORENO, F. <<Sobre la ejecución "en línea directa de continuación del acto" y otros principios de la coacción administrativa>> *Revista Española de Derecho Administrativo* núm. 13. 1977. Págs. 321 a 328.

taria, el agente grita en voz alta y clara un "alto", que no es sino la resolución que acuerda; y ante la negativa del ciudadano destinatario del acto, es cuando procede al uso de la fuerza.

De lo que no cabe duda es que, en relación al uso de la fuerza, el agente en pocos segundos debe valorar amenazas, hacer un juicio de valor, y decidir si utiliza o no la fuerza y en qué grado lo hace[55].

La doctrina aporta su razonamiento sobre la naturaleza jurídica de la coacción directa que inflige un efectivo policial, que el profesor Carro resume[56]: Jellinek se refiere a "coacción sin previo acto administrativo formal"[57]; Mayer distingue entre la ejecución inmediata sin acto previo y la ejecución mediata o forzosa de los actos[58]; y Fleiner[59] y Forsthoff[60] la califican como coacción instantánea.

En España García de Enterría acuña un concepto amplio de coacción administrativa, dentro del que comprende a su juicio la ejecución forzosa, la coacción directa y la vía de hecho. Para García de Enterría "la peculiaridad de la coacción directa no radica, pues, en que no la preceda un acto administrativo previo, sino en la posición de este acto, que inevitablemente la precede y ordena". Así,

[55]   NOPPE, J. <<The Use of Force by Police Officers. What is the Role of Moral Beliefs?>> European Journal of Policing Studies, 3 (3). Págs. 315 a 341. GUILLÉN LASIERRA, F. *Desencuentros entre la policía y el público*. Bosch. Barcelona, 2018. Pág. 73.

[56]   CARRO FERNÁNDEZ-VALMAYOR, J. L. <<Los problemas de la coacción directa... *op. cit.*

[57]   JELLINEK, W. *Verwaltungsrecht*. Gehlen. 1966. Pág. 428.

[58]   MAYER, O. *Deutches Verwaltungsrecht*. Duncker-Humboldt. Berlín, 1969. Pág. 271.

[59]   FLEINER, F. *Institutionen des deutschen Verwaltngsrecht*. Aalen. Tübingen, 1963.

[60]   FORSTHOFF, E. V. *Lehrbuch des Verwaltungsrechts* I. Beck. Muncih, 1973. Pág. 289.

distingue entre el título ejecutivo del acto formal que se ejecuta por un lado, y la orden de ejecución o de puesta en aplicación de la fuerza para el caso de la coacción directa[61].

Consideramos que esta distinción no agota todos los supuestos, debiendo admitir el caso en que el agente se encuentra con una situación en la que no es posible recibir órdenes y debe de actuar no sin antes ponderar las circunstancias concurrentes conforme al ordenamiento jurídico. Por ello Carro defiende un carácter no procedimental de la coacción directa, exigido por la necesidad de que las decisiones que adopta el agente sean ejecutadas inmediatamente[62].

El uso de la fuerza conlleva que tomen decisiones y, en consecuencia, dicten actos (no sólo verbales, como es el caso de la orden de un superior, sino también fruto de su propia decisión) empleados públicos entre cuyas atribuciones no se encuentra la de resolver. Como tales actos administrativos que son, no pueden ser ajenos al procedimiento administrativo como garantía de los derechos de los particulares[63], de ahí que resulte del todo punto

---

[61]   GARCÍA DE ENTERRÍA, E. -FERNÁNDEZ, T. R. *Curso de Derecho Administrativo*. Civitas. 17ª edición. Madrid, 2015. Pág. 750.

[62]   Carro hace acopio de la triple clasificación de los actos de coacción directa que elabora en la doctrina alemana Ch. Funk entre órdenes (disposiciones de contenido imperativo), actos de ejecución forzosa física sobre las personas, y otros actos de intervención unilateral en la esfera individual. FUNK, Ch. *Der verfahrensfreie Verwaltungsakt*. Springer-Verlag. Viena-Nueva York, 1975.

[63]   No siempre nuestro ordenamiento jurídico lo ha interpretado así, de manera que resulta obligado recordar por sus especiales características la Sentencia del Tribunal Supremo <<Capuchinos de Sarriá>> de 14 de noviembre de 1996, que entiende que no existe acto recurrible en un caso en que los guardias de asalto entraron en el salón de actos del Convento de los Frailes Menores Capuchinos de Sarriá interrumpiendo una asamblea del Sindicato Democrático de Estudiantes de la Universidad de Barcelona. El Gobernador Civil, ejecutando órdenes del Ministro de la

imprescindible un marco normativo que contemple los supuestos más tradicionales y otorgue pautas de comportamiento a los agentes.

Con orígenes en la doctrina italiana de mediados del siglo pasado[64], el acto administrativo no escrito se halla pacíficamente admitido en nuestro ordenamiento jurídico. No en vano las leyes de procedimiento administrativo viene contemplando que la forma no escrita sea más adecuada para la expresión y constancia del acto (art. 36.1 LPAC, art. 55 LRJ-PAC, art. 41 LPA). En consecuencia,

---

Gobernación, ordenó a las Fuerzas a su mando que desalojaran los asistentes a la reunión. La Fuerza actuante irrumpió en el Convento y, después de identificar a los estudiantes y profesores, les obligó a salir. Con fundamento en el Concordato con la Santa sede de 27 de agosto de 1953, cuyo artículo XXII garantizaba la inviolabilidad de los edificios eclesiásticos, el Superior de los Capuchinos interpuso recurso de súplica-alzada y posterior recurso jurisdiccional. El Tribunal entendió que "la pretensión se encamina a un acto extraño completamente a la naturaleza del proceso contencioso-administrativo al dirigirse en una solicitud de declaración de principio o doctrina extraños al ámbito conciso de la naturaleza jurisdiccional correspondiente, puesto que inciden respecto a un acto administrativo inexistente, dado que toda pretensión en este proceso de esta naturaleza jurisdiccional ha de impugnar un acto concreto de la Administración pública, que, además, esté sujeto al Derecho administrativo, y no puede confundirse el acto administrativo, que constituye un complejo de actividad jurídica de la Administración con el acto o actuación, o actos, que, en en sentido material de hechos, llevaron a cabo Agentes de la autoridad, pero que no son actos sujetos al Derecho administrativo (...)". Para un comentario a esta Sentencia, *vid.* FERNÁNDEZ RODRÍGUEZ, T. R. <<Las medidas de policía... *op. cit.* Pág. 125 y ss.

[64] SANDULLI, A. M. *Sulla impugnabilità giurisdizzionale di atti amministrativi non scritti*. Módena, 1941. VIRGA, P. *La potestà di polizia*. Giuffré. Milano, 1954. Pág. 123. FRAGOLA, U. *Gli atti amministrativi*. Jovene. Torino, 1952. Pág. 38. Esta doctrina del acto administrativo no escrito fue recogida EN España por GONZÁLEZ PÉREZ, J. *El procedimiento administrativo*. Madrid, 1964. Pág. 339.

razón de más para que el agente que tiene que resolver un acto en función de una determinada situación, al que no le corresponde con carácter general esta atribución, para que tenga a su alcance un procedimiento administrativo para dictar actos no escritos.

En cualquier caso y fruto de esa juridificación y procedimentalización, el uso de la fuerza se encuentra sujeto a ineludibles limitaciones, como son los límites a los actos discrecionales, las normas de procedimiento administrativo y los principios generales del Derecho[65]. Ante una medida tan particular como la coacción, el límite de la discrecionalidad se inspira en la combinación entre el fin perseguido y la elección del medio[66], que debe ser el menos lesivo (art. 6 RSCL), de acuerdo con los referentes de la proporcionalidad, idoneidad y necesidad[67].

---

[65]   GARCÍA DE ENTERRÍA, E. *La lucha contra las inmunidades del poder*. Civitas. Madrid, 2016.

[66]   Para Gianini la potestad discrecional puede ser libre en todo, menos en la elección de los fines que persigue. GIANINI, M. S. *Lezioni di Diritto amministrativo*. Milán, 1956. Págs. 93 y ss.

[67]   ENTRENA CUESTA, R. <<Límites a la actividad de policía municipal>> *Revista de Estudios de la Vida Local* núm. 126. 1962. Págs. 802 a 816.

III. LA FUERZA EN DERECHO POSITIVO

1. FUNDAMENTO CONSTITUCIONAL.

A. *Derecho histórico*

El uso de la fuerza por los efectivos policiales es la gran olvidada en derecho histórico español, quizá porque de siempre se ha dado por hecho y nadie ha discutido que las FCS podían y debían hacer uso de la misma en el ejercicio de sus funciones.

En efecto durante la Segunda República —en un contexto más amplio de organización y funcionamiento de los poderes públicos[68]— el derecho positivo se centraba exclusivamente en la estructura de los cuerpos policiales. Así, el Reglamento Provisional de la Policía Gubernativa, aprobado por real Decreto de 25 de noviembre de 1930, se refería a las relaciones entre los cuerpos de Vigilancia y de Seguridad. La problemática policial en esa época convulsa de la historia de España acusaba una gran cantidad de cuerpos: Guardia Civil, Mossos d'esquadra, Miqueletes, policía urbana uniformada y no uniformada, policía de tráfico urbano, serenos municipales, vigilantes nocturnos, cuerpo de Carabineros, vigilantes de carreteras, Guardias de Asalto...[69]

---

[68] OLIVER ARAUJO, J. <<Las Cortes en la Segunda República Española: luces y sombras 85 años después>> *Revista de Derecho Político* núm. 102. Mayo-agosto 2018. Págs. 15-46.

[69] RISQUES CORBELLA, M. <<Una reflexión sobre la policía durante la Segunda República>> *RCSP* 12/2003. Págs. 71 a 86.

En todo caso el Tribunal de Garantías Constitucionales se refirió al uso de la fuerza en algunas Sentencias que merecen ser citadas[70]. Así, la Sentencia de 6 de junio de 1935[71], relativa al delito de rebelión militar contra el Presidente y Consejeros de la generalidad de Cataluña con ocasión de los sucesos del 6 de octubre de 1934, el Tribunal entiende que "pretender imponer por la violencia aquel régimen federal que la soberanía constituyente rechazara, no incidentalmente y de soslayo, sino después de haberlo considerado de frente, es un delito característico en su significación moral por el valor que en este mismo orden hay que conceder a la repetida voluntad de aquellas Cortes" (FD tercero).

Un grupo de Sentencias de este Tribunal resuelven recursos de amparo en procesos en los que se han impuesto sanciones por cometer acciones tipificadas primero en la Ley de 21 de octubre de 1931, de Defensa de la República y más tarde en la Ley de 28 de julio de 1933, de Orden Público, que derogó a la anterior. Así, puede citarse la Sentencia de 13 de noviembre de 1934[72], relativo a la publicación en un periódico de un montaje de dos fotografías cuya unión provoca animosidad contra el Gobierno y violencia[73], o la

---

[70]   BASSOLS COMA, M. *La Jurisprudencia del tribunal de Garantías Constitucionales de la II República Española*. Centro de Estudios Constitucionales. Madrid, 1981.

[71]   Gaceta de Madrid núm. 163, de 12 de junio de 1935. Págs. 2123 a 2131.

[72]   Gaceta de Madrid núm. 320, de 16 de noviembre de 1934. Págs. 1332-133.

[73]   En concreto en el número 10.851 del periódico La Gaceta del Norte, de Bilbao, correspondiente a la edición de 11 de febrero de 1933, se publicó una fotografía en la que aparece un grupo de personas en actitud pacífica, en las cercanías del Sagrado Corazón de Jesús, junto a otra fotografía de un grupo de Guardias de Seguridad, de caballería, dirigiéndose al citado grupo en actitud de cargar. Las fotografías pertenecían a lugares y momentos distintos.

Sentencia de 18 de enero de 1935[74], relativa a la publicación en el diario La Voz de 6 de junio de 1934 de información que atribuía a fuerzas militares el propósito de secuestrar y sustituir al Jefe del Estado. El Tribunal señala que "en un estado pasional de irritación de bandos contendientes, nada ha de ser tan eficaz para perturbar la paz social como la atribución a uno de ellos de propósito de cometer violencia tan calificada como la anunciada en el periódico, ni tan ocasionada a provocar reacciones igualmente violentas".

Sin ánimo de ser exhaustivos, otras Sentencias en materia de amparo se refieren a la alteración del orden público por una asociación política juvenil (Sentencia de 30 de enero de 1935[75]), o una multa por fijar pasquines en paraje público recomendando el empleo de medios violentos para alterar el orden público (Sentencia de 30 de marzo de 1935[76]).

Durante el franquismo la regulación del uso de la fuerza policial no es menos huérfana: la Ley de 15 de marzo de 1940 tiene por objeto la "reorganización del benemérito Cuerpo de la Guardia Civil"; la Ley de 23 de noviembre de 1940 dispone que el cargo de Director General de la Guardia Civil sea ejercido por un Teniente General; la Ley de 2 de septiembre de 1941 regula las atribuciones y funcionamiento de las Jefaturas Superiores de Policía; la Ley 24/1970, de 2 de diciembre, modifica el sistema de ascenso a la Escala de Mando del Cuerpo General de Policía.

Y en la Transición la Ley 55/1978, de 4 de diciembre, de la Policía, tampoco efectúa referencia alguna al uso de la fuerza, limitándose a la creación de los cuerpos policiales estatales (Cuerpo Superior de Policía, Cuerpo de

---

[74] Gaceta de Madrid núm. 24, de 24 de enero de 1935. Págs. 724 a 725.
[75] Gaceta de Madrid núm. 40, de 9 de febrero de 1935. Págs. 1220 a 1222.
[76] Gaceta de Madrid núm. 95, de 5 de abril de 1935. Págs. 138 a 139.

Policía Nacional y Guardia Civil), al tiempo que prevé la creación de cuerpos policiales en las Comunidades Autónomas (disposición adicional primera).

B. Régimen constitucional vigente

El art. 104 CE atribuye a las FCS, bajo la dependencia del Gobierno, la misión de proteger el libre ejercicio de los derechos y libertades y garantizar la seguridad ciudadana. Esta dependencia del Gobierno se halla amparada en el art. 97 CE, que atribuye a este último la dirección de la política interior y exterior, la Administración civil y militar y la defensa del Estado, así como el ejercicio de la función ejecutiva y la potestad reglamentaria de acuerdo con la Constitución y las leyes.

En materia de distribución de competencias en el seno del Estado de las Autonomías, el art. 149.1.29 CE atribuye al Estado competencia exclusiva sobre seguridad pública, sin perjuicio de la posibilidad de creación de policías por las Comunidades Autónomas en la forma que se establezca en los respectivos Estatutos en el marco de lo que disponga una ley orgánica.

2. LA FUERZA EN LA LEGISLACIÓN DE RÉGIMEN LOCAL

A lo largo de los años la actividad de policía ha sufrido vaivenes y transformaciones[77], hasta instalarse prácticamente en exclusiva en la reglamentación y en la po-

---

[77]   GARRIDO FALLA, F. <<Las transformaciones del concepto jurídico de policía administrativa>> *Revista de Administración Pública* núm. 11. Mayo-agosto, 1953.

testad sancionadora[78], despojándose del uso de la fuerza material, quizás porque en un sistema democrático una errática progresía haya equiparado fuerza a violencia y en consecuencia haya impuesto la idea de que la fuerza no es sostenible en una sociedad avanzada.

Con carácter general la intervención previa con la técnica autorizatoria ya fue despojada abruptamente a partir de la Directiva de Servicios; la fuerza ha perdido entidad; y en este sentido la actividad de policía se ha reducido inexorablemente a la reglamentación y a la imposición de sanciones.

No obstante, insistimos en que determinados ámbitos administrativos requieren del uso de la fuerza física de alguien legitimado para ello y de acuerdo con un régimen jurídico preestablecido. La protección administrativa no puede consistir exclusivamente en estos dos ámbitos, porque entonces deviene inviable[79].

La pregunta que hemos formulado más arriba se responde por sí misma: si un agente de policía descubre a alguien contaminando un manantial, ¿debe limitarse a identificarlo y a cursar denuncia al departamento de sanidad para que se le sancione, o debe de retirarle por la fuerza? Otra respuesta obvia es si la policía puede retirar de la vía pública a los que protestan en medio de la calzada, no digamos si queman neumáticos. Ahora bien, si un individuo va por la calle sin camiseta, cuestión prohibida por una ordenanza municipal, ¿puede el policía local retenerle hasta que se viste? Ahí la cuestión ya es

---

[78]   GARRIDO FALLA, F. <<Los medios de la policía y la teoría de las sanciones administrativas>> *Revista de Administración Pública* núm. 28. Enero-abril, 1959.

[79]   REBOLLO PUIG, M. <<La protección administrativa del espacio público. En particular, mediante sanciones>> En CIERCO SEIRA Y OTROS (Coords.) *Uso y control del espacio público: viejos problemas, nuevos desafíos*. Aranzadi. Cizur Menor, 2015.

más discutible. Si la policía local comprueba que un establecimiento tiene mesas y sillas fuera de los límites autorizados, ¿puede retirar las mesas y las sillas, o sólo puede denunciar la ocupación indebida del dominio público?

Qué duda cabe que la policía local es uno de los cuerpos más expuestos al uso de la fuerza en sede administrativa. El agente que acude a un domicilio en el que se hace ruido de madrugada (una fiesta, por ejemplo), ¿puede requisar el aparato de música? ¿Y si en cambio es requerido en un caso de riesgo de incendio o de inundación? En ese caso parece que sí debe de emplear la fuerza. Pero, si incluimos los derechos fundamentales el debate se torna más complejo: en el contexto de las ordenanzas relativas a burkas, burkinis… ¿puede un agente despojar un burka a una persona por motivos de seguridad?[80]

Lógicamente deviene inexcusable el marco jurídico de todas estas actuaciones, sin que sea de recibo dejar el uso de la fuerza al libre albedrío del agente, ni a la aplicación de principios jurídicos del derecho administrativo[81] como el de proporcionalidad (art. 4.1 LRJSP) o de congruencia (art. 6 RSCL).

Esto es más grave si se tiene en cuenta que el derecho positivo ha ido reduciendo progresivamente las competencias de los municipios en materia de policía.

Así, y sin perjuicio de antecedentes remotos[82], en España el Reglamento de Servicios de las Corporaciones Loca-

---

[80]   ORTEGA BERNARDO, J. *Derechos fundamentales y ordenanzas locales*. Marcial Pons. Madrid, 2014.

[81]   De obligada referencia en la materia, SANTAMARÍA PASTOR, J. A. (Dir.) *Los principios jurídicos del derecho administrativo*. Wolters Kluwer. Madrid, 2013.

[82]   REBOLLO PUIG analiza el título competencia de la policía en la Administración local española desde la Constitución de 1812 hasta hoy. REBOLLO PUIG, M. <<La policía local como título competencial>> *Revista Española de Derecho Administrativo* núm. 182. Enero-marzo 2017. Págs. 86 a 89.

les (en adelante, RSCL), nada menos que en el frontispicio de la norma, en su art. 1, se refiere a la intervención administrativa en una serie de ámbitos y el primero de ellos consiste en la función de policía, que tiene unos casos que la justifican —cuando existiere perturbación o peligro de perturbación grave de la tranquilidad, seguridad, salubridad o moralidad ciudadanas— y un objeto con claridad meridiana: "con el fin de restablecerlas o conservarlas". En su art. 3 esta misma Norma también contempla de frente y sin circunloquios el uso de la fuerza, al señalar que la intervención defensiva del orden, en cualquiera de sus aspectos, se ejercerá frente a los sujetos que lo perturbaren.

En este sentido el legislador contemplaba en 1955 el empleo de la fuerza para o bien conservar o bien restituir una situación que perturbara la tranquilidad, la seguridad, la salubridad o la moralidad.

En cambio esta competencia se redactó en unos términos mucho más ambiguos en la redacción original de la LBRL, cuyo art. 25.2 se refería a la seguridad en lugares públicos (aptdo a) y a la protección civil, prevención y extinción de incendios (aptdo c). Y en la redacción operada por la LRSAL en 2013 las competencias municipales en la materia se convierten todavía en más genéricos con la referencia a policía local, protección civil, prevención y extinción de incendios (aptdo f).

Si por otro lado acudimos a la regulación de la intervención administrativa en la LBRL, prevista en el art. 84, se observa que la fuerza ha desaparecido por completo y que la forma que más se asemeja a la misma son las órdenes individuales constitutivas de mandato para la ejecución de un acto o la prohibición del mismo (art. 84.1.e LBRL)[83].

---

[83]   REBOLLO PUIG, M. – IZQUIERDO CARRASCO, M. <<Comentario al artículo 84>> En REBOLLO PUIG, M. – IZQUIERDO CARRASCO, M. (Dirs.) *Comentarios a la Ley Reguladora*

De esta manera puede apreciarse que la evolución histórica del derecho positivo tiende a eliminar cualquier referencia al uso de la fuerza, relegándolo a algo sencillamente inexistente.

3. PROCEDIMIENTO ADMINISTRATIVO Y COMPULSIÓN SOBRE LAS PERSONAS

La referencia más directa, como decimos, al empleo de la fuerza física en un ámbito estrictamente administrativo que prevé el derecho positivo es la compulsión sobre las personas, que viene arrastrando la misma redacción desde la LPA.

En efecto el art. 104 LPAC, como antes lo hicieran el art. 100 LRJ-PAC y el art. 108 LPA, contempla la compulsión sobre las personas como medio de ejecución de actos administrativos que supongan una obligación personalísima de no hacer o soportar.

La compulsión lleva aparejada la aplicación directa de la fuerza física sobre la persona del obligado a soportar el cumplimiento de un acto administrativo. Sin embargo no se olvide que esta institución forma parte del procedimiento administrativo, y de hecho constituye un medio de ejecución del acto. Por este motivo no puede confundirse la compulsión con la coacción directa, que consiste en la fuerza física de las FCS tendente a restablecer una situación viciada por alguna conducta antijurídica del particular (alteración del orden público)[84].

---

de las *Bases del Régimen Local*. Tirant lo Blanch. Valencia, 2007. Tomo II. Págs 2189 a 2196.

[84] MANTECA VALDELANDE, V. <<La compulsión sobre las personas como instrumentos ejecutivo de la Administración Pública>> *Actualidad Administrativa* núm. 16. Sección Práctica profesional. Quincena del 16 al 30 de septiembre de 2011. Pág. 2123. Tomo 2. La Ley.

En este sentido resulta obligado distinguir la ejecución forzosa de un acto administrativo de la coacción directa[85], que se debe a una situación de hecho que por sus características reclama una acción pública inmediata[86].

Entre los ámbitos sectoriales sobre los que la legislación administrativa contempla la compulsión, pueden citarse la expulsión de extranjeros del territorio nacional[87], la salud pública[88], actuaciones sobre internos en

---

[85]   Esta distinción no es absolutamente pacífica. GARRIDO FALLA equipara la coacción directa a la ejecución de los actos administrativos, englobando el apremio sobre el patrimonio, la ejecución subsidiaria, la multa coercitiva y la compulsión sobre las personas. GARRIDO FALLA, F. <<Los medios de la policía... *op. cit.* Pág. 32. Este es también el criterio que sigue MONCADA LORENZO, A. <<Significado y técnica jurídica de la policía administrativa>> *Revista de Administración Pública* núm. 28. Enero-abril, 1959. Pág. 65. Quizá esta diferencia de apreciación se deba a la falta de un concepto unitario de policía, en los términos explicados por NIETO, A. <<Algunas precisiones sobre el concepto de policía>> *Revista de Administración Pública* núm. 81. Septiembre-diciembre, 1976. Pág. 64.

[86]   BARCELONA LLOP, J. "La ejecución forzosa de los actos administrativos: régimen general. La prohibición de acciones posesorias". En GAMERO CASADO (Director) *Tratado de procedimiento administrativo común y régimen jurídico básico del sector público.* Tirant lo blanc. Tomo II. Valencia, 2017. Pág. 2212.

[87]   Nos referimos a los regímenes de devoluciones y salidas obligatorias que regulan los artículos 23 y 24 del Real Decreto 557/2011, de 20 de abril, por el que se aprueba el Reglamento de la Ley Orgánica 4/2000, de sobre derechos y libertades de los extranjeros en España y su integración social, tras su reforma por Ley Orgánica 2/2009.

[88]   La Ley Orgánica 3/1986, de 14 de abril, de medidas especiales en materia de salud pública permite a las autoridades sanitarias adoptar medidas de reconocimiento, tratamiento, hospitalización o control cuando se aprecien indicios racionales que permitan suponer la existencia de peligro para la salud de la población debido a la situación sanitaria concreta de una persona o grupo de personas o por las condiciones sanitarias en que se desarrolle una actividad (art. 2), así como adoptar las medidas oportunas para el control de los enfermos, de las personas que estén o hayan estado

instituciones penitenciarias[89] o la recuperación de la posesión indebidamente perdida de bienes y derechos patrimoniales[90].

En cualquier caso, ni en la LPAC ni en estas normas sectoriales existe un mínimo atisbo de regulación de la compulsión de las personas, más allá de que sea un medio estrictamente indispensable para ejecutar el acto y que se lleve a cabo con total respeto a la dignidad humana (art. 104.1 LPAC), como si en un Estado de Derecho fuera admisible una acción administrativa distinta.

4. LEY ORGÁNICA DE SEGURIDAD CIUDADANA

La seguridad ciudadana es el hábitat natural del uso de la fuerza, extremo que adquiere su especial impor-

---

en contacto con los mismos y del medio ambiente inmediato, así como las que se consideren necesarias en caso de riesgo de carácter transmisible (art. 3). *Vid.* COBREROS MENDOZANA, E. *Los tratamientos sanitarios obligatorios y el derecho a la salud. (Estudio sistemático de los ordenamientos italianos y español).* Instituto Vasco de Administración Pública. Oñate, 1988.

[89] La ejecución de los actos sancionadores (aislamiento, aislamiento en celda...) por parte de la Comisión Disciplinaria se regulan en los artículos 252 y ss del Real Decreto 190/1996, de 9 de febrero, por el que se aprueba el Reglamento Penitenciario.

[90] El denominado desahucio administrativo se regula con carácter general en la Ley 33/2003, de 3 de noviembre, del Patrimonio de las Administraciones Públicas (arts. 58 a 60) o en ámbitos específicos como la Administración Local (arts. 120 a 135 del Real Decreto 1372/1986, de 13 de junio, por el que se aprueba el Reglamento de Bienes de las Entidades Locales) o en materia de costas (arts. 107 y 108 de la Ley 22/1988, de 28 de julio, de Costas). Sobre el desahucio administrativo, *vid.* GOSÁLBEZ PEQUEÑO, H. *La recuperación posesoria de los bienes de las entidades locales.* Marcial Pons. Madrid, 2010. COBO OLVERA, T. <<La potestad de desahucio administrativo de las entidades locales>> *Actualidad administrativa* núm. 44. 1992. Págs. 517 a 530.

tancia en un contexto de expansión del derecho administrativo sancionador[91]. No en vano el preámbulo de la Ley Orgánica 4/2015, de 30 de marzo, de protección de la seguridad ciudadana (en adelante, LOSC) establece expresamente que

> *cualquier incidencia o limitación en el ejercicio de las libertades ciudadanas por razones de seguridad debe ampararse en el principio de legalidad y en el de proporcionalidad en una triple dimensión: un juicio de idoneidad de la limitación (para la consecución del objetivo propuesto), un juicio de necesidad de la misma (entendido como inexistencia de otra medida menos intensa para la consecución del mismo fin) y un juicio de proporcionalidad en sentido estricto de dicha limitación (por derivarse de ella un beneficio para el interés público que justifica un cierto sacrificio del ejercicio del derecho).*

A. *Seguridad ciudadana y policía administrativa.*

La LOSC sí establece la forma de actuar ante determinadas situaciones concretas: la identificación de personas (art. 16), restricción del tránsito y controles en las vías públicas (art. 17), comprobaciones y registros en lugares públicos (arts. 18 y 19), los registros corporales externos (art. 20), o las medidas de seguridad extraordinarias en situaciones de emergencia (art. 22).

Como puede apreciarse, esta reglamentación de las formas de proceder se ciñe a actuaciones muy concretas. Aun así, aunque debiéramos felicitarnos por una regulación detallada que en una primera aproximación ofrezca seguridad jurídica a los agentes, entre los principios rectores de la acción de los poderes públicos en relación

---

[91]   AVEZUELA, J. <<Seguridad ciudadana: una perspectiva desde el Derecho administrativo sancionador>> En BAUZÁ MARTORELL, F. J. (Dir.) *Derecho administrativo y derecho penal: reconstrucción de los límites.* Bosch-Wolters Kluwer. Págs. 237 a 250.

con la seguridad ciudadana, el art. 4.3 de esta Norma entiende que la actividad de intervención "se justifica por la existencia de una amenaza concreta o de un comportamiento objetivamente peligroso que, razonablemente, sea susceptible de provocar un perjuicio real para la seguridad ciudadana".

En cambio, el art. 23 del mismo Texto legal obliga a las FCS a adoptar las medidas necesarias para proteger la celebración de reuniones y manifestaciones, permitiéndoles acordar la disolución de reuniones en lugares de tránsito público y manifestaciones. La pregunta obligada es cómo deben hacerlo: ¿con uso de la fuerza? ¿sin ella? ¿en qué casos está permitido? ¿en cuáles prohibido?

En consecuencia, de nuevo regresamos al escenario en que al agente le corresponde evaluar, decidir y ejecutar; todo ello en tiempo real, en un escenario a menudo hostil (lejos de la serenidad de los despachos) y sin posibilidad de esperar orden alguna de un mando jerárquicamente superior.

Y todo ello con la posibilidad cierta de que resulten condenados en sede penal, con el consiguiente riesgo de perder su condición de servidores públicos, porque la doctrina jurisprudencial es en muchos casos ambigua. Cítese por ejemplo la Sentencia del Tribunal Supremo de 20 de octubre de 1980, a cuyo tenor:

> *Que su comportamiento y el uso de la fuerza sean necesarios, esto es, que obedezcan a racional precisión indispensable para alcanzar la meta o el obligado cometido de la respectiva función, agregándose que será necesaria aquella acción que sea racionalmente imprescindible, con la consiguiente limitación implícita de la menor lesividad posible, para conseguir el cumplimiento de la función, distinguiendo, la doctrina, entre la necesidad de la violencia en abstracto y la necesidad en concreto, la cual equivale a la idoneidad del medio específicamente interpuesto o utilizado.*

Resulta cuando menos llamativo que la propia LOSC distingue la seguridad ciudadana (en cuyo concepto incluye —art. 2.3— la seguridad aérea, marítima, ferroviaria, vial o en los transportes) de la "acción administrativa ordinaria" que tenga por objeto velar por el buen orden de los espectáculos y la protección de las personas y bienes.

B. El empleo de la fuerza en la detención

El momento en que puede justificarse en mayor medida el uso de la fuerza es la detención.

La Instrucción 12/2007, de la Secretaría de Estado de Seguridad sobre los comportamientos exigidos a los miembros de las FCS del Estado para garantizar los derechos de las personas detenidas o bajo custodia policial regula la forma y duración de la detención, dedicando su punto séptimo al empleo de la fuerza en la detención. Se trata de la única norma en todo el ordenamiento español que contempla el uso de la fuerza, circunscrita estrictamente a la práctica de la detención.

La fuerza en la detención de las personas se plantea en la referida Instrucción en términos de excepcionalidad, pudiéndose utilizar exclusivamente en alguno de los siguientes supuestos:

a. Con ocasión de resistencia a la detención.

b. Cuando la detención se practique en circunstancias que puedan suponer un grave riesgo para la seguridad ciudadana.

c. Cuando exista un riesgo racionalmente grave para la vida del agente, su integridad física o la de terceras personas.

Como primera medida de actuación, al agente policial se le exige se identifique y dé a conocer la legitimidad de su presencia, pudiendo hacer uso de palabras conminatorias para que el sujeto deponga cualquier posible actitud violenta.

El empleo de la fuerza debe estar informado por los principios de oportunidad, congruencia y proporcionalidad.

Por oportunidad la Instrucción entiende la necesidad o no de recurrir a la coacción física en la detención, de acuerdo con los datos conocidos sobre la situación y el sujeto en cuestión. En este sentido al agente se le obliga a sopesar las circunstancias propias del lugar, el conocimiento de la persona sospechosa, su peligrosidad o reacciones previsibles y su experiencia previa para determinar si la detención puede realizarse mediante la utilización de otros medios no violentos que la técnica profesional pone a su alcance.

Asimismo, la Instrucción establece que la congruencia supone que el agente, una vez ha decidido el empleo de la fuerza y para que éste sea legítimo, deba de elegir, de entre los medios legales previstos y disponibles, el que sea más idóneo y que mejor se adapte a la concreta situación, valorando para ello las prestaciones del medio agresivo, sus características, grados y demás efectos que respondan a la situación y finalidad legal pretendida.

Por el último la proporcionalidad supone, al decir de la Instrucción, que, una vez decidido el empleo de la fuerza y el medio idóneo, el agente debe adecuar la intensidad de su empleo, de forma que no sobrepase la estrictamente necesaria para conseguir el control de la persona, prohibiendo todo exceso. En consecuencia, al agente se le obliga a causar la menor lesividad posible y a responder gradual y apropiadamente a cada situación.

En este sentido desde antiguo el Tribunal Supremo viene entendiendo por proporcionalidad la relación entre la situación que origina la intervención de la fuerza policial con la naturaleza del caso concreto. Así, en Sentencia 1715/1994, de 30 de marzo, especifica:

> *Proporcionalidad de la violencia utilizada en relación con la situación que origina la intervención de la fuerza pública, pues la levedad del caso, si existiera, a veces justifica la no intervención o impide la utilización de un determinado medio demasiado peligroso cuando se carece de otro de inferior lesividad o éste aparece como ineficaz, mientras que la gravedad de la situación sólo autoriza para obrar de un modo ponderado y prudente en relación a tal gravedad, también conforme a las circunstancias del caso, sin poner trabas a operaciones que pueden exigir el actuar con la decisión necesaria y sin demora, como ya se ha dicho, pero al mismo tiempo sin conceder franquicias a actuaciones excesivas o inhumanas, teniendo en cuenta, por otro lado, que, respecto de la actuación de un particular en un supuesto paralelo, el comportamiento de las fuerzas de seguridad tiene a su favor el que siempre obran en la línea de "la afirmación del Derecho por encima de lo injusto", como ha dicho algún autor.*

A mayor abundamiento y tan importante como la proporcionalidad, resulta la necesidad. Así en la Sentencia de la Sala Segunda del Tribunal Supremo 4/2005, de 19 de enero, relativa a un supuesto en que un agente golpeó con su defensa a una persona que formaba parte de un grupo reunido en las inmediaciones de un domicilio donde se iba a proceder a la detención de un miembro de la Mesa nacional de Herri Batasuna, se declara:

> *No existe, en primer lugar, indebida inaplicación del art. 20.7.°, que se refiere a la eximente de quien obre en cumplimiento de un deber o en el ejercicio legítimo de un derecho oficio o cargo, no sólo porque no se cuenta con la base fáctica exigible para ello, en la narración que contiene la Sentencia recurrida, como es de todo punto indispensable en el análisis de un motivo como el presente, sino porque, además, examinando las pruebas disponibles, no concurren los elementos precisos para considerar la conducta del recurrente amparada en dicha circunstancia de exención de la responsabilidad criminal, ni siquiera incompleta, pues se echa en falta el requisito básico e imprescindible de la «necesidad»*

de la actuación violenta, ya que, como dice, entre otras, la STS de 21 de septiembre de 1999, para la aplicación de esta circunstancia ha de concurrir en la conducta del sujeto, además de otros aspectos como el de la proporcionalidad en la violencia ejercida (necesidad en concreto) cuya ausencia sí que puede conducir a la apreciación de la eximente incompleta, el que «... para el cumplimiento del deber concreto en cuyo ámbito está desarrollando su actividad, le sea necesario hacer uso de la violencia (necesidad en abstracto), porque, sin tal violencia, no le fuera posible cumplir con la obligación que en ese momento le incumbe».

La Instrucción permite el uso de armas en la detención cuando exista un riesgo racionalmente grave para la vida del agente, su integridad física o la de terceras personas, o en aquellos casos en que puedan suponer un grave riesgo para la seguridad ciudadana, y de acuerdo con los tres principios referidos de oportunidad, congruencia y proporcionalidad.

En relación específicamente el uso de la fuerza, la Instrucción prohíbe terminantemente la utilización, durante la detención o cualquier otro servicio policial, de armas que no estén incluidas en los equipamientos oficiales de las FCS del Estado o cuya utilización no haya sido autorizada expresamente. Igualmente prohíbe cualquier género de violencia cuando el detenido haya sido inmovilizado, sea cual fuere o hubiera sido su comportamiento.

C. *Utilización de armas de fuego*

Las armas de fuego constituyen por razones obvias la *ultima ratio* entre las fórmulas de la coacción directa por parte de las FCS, de suerte que el ordenamiento jurídico reserva su uso exclusivamente en caso de peligro para la vida del agente o de terceras personas, y siempre que no resulten suficientes otros medios. No en vano según el art. 5.2.d LOFCS "solamente deberán utilizar las armas en las situaciones en que exista un riesgo racionalmente grave para su vida, su integridad física o las de terceras personas, o en aquellas circunstancias que puedan suponer un grave riesgo para la seguridad ciudadana".

La Circular 12/1987, de 3 de abril, de la Subdirección General Operativa del Cuerpo Nacional de Policía (en adelante, CNP) desarrolla la LOFCS en relación a la utilización de armas de fuego por parte de los funcionarios del CNP a partir de la Sentencia del Tribunal Supremo de 18 de enero de 1982, según la cual los funcionarios de Policía debe utilizar armas de fuego "solamente en aquellos casos en que las circunstancias en las situaciones en que se enfrentan hagan racionalmente presumir una situación de peligro o riesgo real para ellos o terceras personas, únicamente superable mediante esa utilización, y lo hagan en la forma adecuada para evitar consecuencias irreparables que no vengan justificadas por la gravedad del contexto en que se encuentran".

Esencialmente esta Circular descansa sobre las siguientes premisas:

1. Existencia de una agresión de tal intensidad y violencia que ponga en peligro la vida o la integridad física del agente o de terceros.

2. Ponderación por parte del agente de la necesidad del uso del arma de fuego para impedir la agresión, en tanto no resulten idóneos o suficientes otros medios.

3. Advertencias previas al agresor de que se halla ante un agente de la autoridad, y conminación a que deponga su actitud.

4. Disparos al aire o al suelo si el agresor persiste en su actitud.

5. Disparo sobre partes no vitales del cuerpo.

Por razones obvias no puede ocultarse la especial complejidad de trasladar estos planteamientos teóricos a la práctica. A cualquier ciudadano español le viene a la memoria las imágenes del agente de la policía autonómica catalana, ex Caballero Legionario, abatiendo a un terrorista armado en el atentado de Cambrils de agosto de 2017, después de efectuar las consabidas advertencias verbales y de disparar en tres ocasiones al aire, posteriormente en un brazo y por último a partes vitales. Muy distinta esta profesionalidad a imágenes que en los últimos años de la Administración Obama se han recogido en los medios de disparos letales efectuados por agentes federales a personas desarmadas y hasta el estrangulamiento de un ciudadano de color que vendía periódicos en las calles de Manhattan.

5. LA FUERZA EN LOS ESTADOS DE ALARMA, EXCEPCIÓN Y SITIO

La Ley Orgánica 4/1981, de 1 de junio, de los estados de alarma, excepción y sitio, (en adelante, LOAES), contempla el uso de la fuerza en el estado de alarma, cuando permite que el decreto gubernativo de su declaración permita, entre otras cosas, practicar requisas temporales de todo tipo de bienes e imponer prestaciones personales obligatorias, intervenir y ocupar transitoriamente industrias, fábricas, talleres, explotaciones o locales de cualquier naturaleza, con excepción de domicilios privados, dando cuenta de ello a los Ministerios interesados, o limitar o racionar el uso de servicios o el consumo de artículos de primera necesidad (art. 11 LOAES).

Más intensa es la coacción directa en el estado de excepción, pudiendo comprender la detención hasta un máximo de diez días de cualquier persona sobre la que existan sospechas de que vaya a alterar el orden público (art. 16), inspecciones y registros domiciliarios (art. 17), intervención de toda clase de comunicaciones (art. 18), intervención y control de toda clase de transportes (art. 19), la prohibición de la circulación de personas y vehículos en las horas y lugares que se determine, y exigir a quienes se desplacen de un lugar a otro que acrediten su identidad, señalándoles el itinerario a seguir (art. 20), la suspensión de publicaciones, emisiones de radio y televisión, proyecciones cinematográficas y representaciones teatrales (art. 21), podrá someter a autorización previa o prohibir la celebración de reuniones y manifestaciones (art. 22), prohibición de huelgas y medidas de conflicto colectivo (art. 23), o la incautación de armas, municiones o sustancias explosivas (art. 25).

Por último el estado de sitio incluye todas las facultades anteriores más las medidas y prevenciones necesarias (art. 34 LOAES) dentro de los límites previstos en el art. 116 CE.

6. LA FUERZA EN EL CÓDIGO PENAL

A pesar de que el enfoque de nuestro análisis se centre exclusivamente en el uso de la fuerza en derecho administrativo, la actuación de los agentes de la autoridad se halla indudablemente condicionada por el temor a una imputación y condena en el orden penal por el ejercicio de la función policial, cuya efectividad —y con ello el interés general de la seguridad ciudadana— se puede ver mermada ante esa amenaza.

En efecto dada la creciente injerencia del derecho penal en el administrativo[92], no podemos dejar de contem-

---

[92]   BAUZÁ MARTORELL, F. J. <<La injerencia penal en la invalidez administrativa>> En LÓPEZ RAMÓN, F. –VILLAR ROJAS, F. (Coords.) *El alcance de la invalidez de la actuación administrativa. Actas del XII Congreso de la Asociación Española de Profesores de Derecho Administrativo.* INAP. Madrid, 2017. Págs. 117 a 124.

plar el uso de la fuerza en la actuación administrativa
como elemento por un lado integrador de tipos penales
(lesiones, homicidio, asesinato), y por otro como causa
de justificación.

En el primer caso habrá que estar indudablemente a
la casuística. Se darán situaciones en las que el empleado
público se aparte claramente de la actuación administrativa para hacer un uso ilegítimo de la fuerza física o del
arma de fuego[93] y en cambio otros supuestos en que habrá que ponderar si la actuación administrativa, conforme a los principios de congruencia y proporcionalidad,
justificaban los medios utilizados[94].

Este segundo escenario conduce a las causas de justificación del art. 20 CP, en particular la legítima defensa
y el estado de necesidad. La primera viene contemplada
ya en el art. 2 del Convenio Europeo para la protección
de los Derechos Humanos y las Libertades Fundamentales de 4 de noviembre de 1950, según el cual "la muerte
no se considerará infligida con infracción del presente
artículo cuando se produzca como consecuencia de un
recurso a la fuerza que sea absolutamente necesario (...)
para asegurar la defensa de cualquier persona contra una
agresión ilegítima".

Para el Código Penal español la legítima defensa requiere tres elementos acumulativos: la agresión ilegítima,
que consiste en un ataque a bienes que constituya delito
y los ponga en grave peligro de deterioro o pérdida inmi-

---

[93]   La Sentencia del Tribunal Supremo, Sala Segunda, de lo Penal,
       Sentencia 514/2016 de 13 Jun. 2016, (rec. 10043/2016) condena
       a un miembro de la Guardia Civil por disparar con su arma re-
       glamentaria a corta distancia sobre la cabeza de su esposa mien-
       tras dormía.
[94]   ARROYO JIMÉNEZ, L. <<Ponderación, proporcionalidad y
       derecho administrativo>>. En ORTEGA ÁLVAREZ, L. – DE
       LA SIERRA, S. *Ponderación y Derecho administrativo*. Marcial
       Pons. Madrid, 2009. Págs. 19 a 49.

nentes, o la entrada indebida en la morada o sus dependencias; la necesidad racional del medio empleado para impedirla o repelerla; y la falta de provocación suficiente por parte del defensor[95]. Por su parte el estado de necesidad consiste en lesionar un bien jurídico de otra persona o infringir un deber para evitar un mal propio o ajeno, siempre que el mal causado no sea mayor que el que se trate de evitar, que la situación de necesidad no haya sido provocada intencionadamente por el sujeto, y que el necesitado no tenga, por razón de su oficio o cargo, obligación de sacrificarse[96].

Especial trascendencia para la actuación de las FCS reviste el cumplimiento de un deber (art. 20.7 CP), en el sentido de utilizar la fuerza para conseguir un objetivo ordenado por un tribunal de Justicia. En su epígrafe correspondiente se analiza el Auto de la Audiencia provincial de Barcelona de 26 de octubre de 2018, que considera que efectivos de la Guardia Civil se excedieron en el uso de las defensas para acceder a un instituto de educación secundaria en el que se celebraba la votación del 1 de octubre de 2017. Las FCS actuaban en cumplimiento de lo ordenado por el TSJ de Cataluña en Auto de 26 de septiembre anterior, y sin embargo la Audiencia Provincial considera que existían otras formas de asegurar el resultado.

En este sentido conviene recordar la doctrina del Tribunal Supremo sobre esta materia, que recoge la Sentencia de la Sala Segunda 202/2018, de 25 de abril (rec. 1524/2017):

> *Se arguye que el Instructor no debería entrar a valorar los elementos del tipo subjetivo o las causas de ex-*

---

[95] ROBLES PLANAS, R. <<Legítima defensa, empresa y patrimonio>> *Política criminal* núm. 22. 2016.

[96] PAWLIK, M. <<Una teoría del estado de necesidad exculpante>> *InDret: Revista para el Análisis del Derecho* núm. 4. 2015.

*clusión de la antijuricidad (como la legítima defensa).
Debe ser suficiente a fin de decidir sobre la necesidad de
proseguir el procedimiento constatar la concurrencia
de los presupuestos objetivos de la tipicidad, lo que de-
terminará la necesidad del procesamiento, si es un procedimiento ordinario; la conversión en procedimiento
abreviado en otro caso (art. 779). La existencia o no,
por ello del animus iniuriandi, sería algo —se ha soste-
nido— que sólo el Tribunal podrá apreciar en la sentencia. La inexistencia de esos elementos internos (ánimo
de ofender: animus iniuriandi o calumniandi) debería
dilucidarse en el juicio oral, sin que pueda erigirse en
motivo para abortar prematuramente el proceso.*

*De este entendimiento se ha hecho eco una vieja
práctica, sin sólido respaldo legal, que ha venido sos-
teniendo que sería suficiente con una constatación de
la concurrencia, al menos indiciaria, de los elementos
objetivos de la infracción, sin que en tal fase procesal
previa sea dable indagar sobre cuestiones anímicas.*

Ha de rechazarse rotundamente esa vieja teoría.

*De aceptarla, la coherencia abocaría a procesar a
toda persona que haya realizado una acción típica, aunque esté amparada por una causa de justificación (elementos subjetivos de justificación). A esta observación
básica se unen otras palmarias razones de economía
procesal que en el régimen constitucional constituyen
algo más que un tributo a pagar al pragmatismo. Es
una exigencia engarzable en el derecho fundamental a
un proceso sin dilaciones indebidas (art. 24.2 CE).
Alargar un proceso de forma innecesaria es dilación no
debida . Debe por ello permitirse al Instructor valorar
esas causas de exención para no postergar innecesaria-
mente la decisión del proceso y, sobre todo, la injusticia
que supondría someter a una persona a un juicio oral,
cuando se puede evidenciar ya que es penalmente irres-
ponsable. "Criminalidad" a los efectos de los arts. 384
o 783 LECrim es algo más que "tipicidad objetiva".
Por «criminalidad» hay que entender la existencia de
un delito con todos sus elementos. Por tanto, el Instructor, en el momento de dictar o denegar el auto de
procesamiento, se encuentra a estos efectos en idéntica*

posición que la Audiencia a la hora de dictar senten-
cia. La única variante es que al Instructor le basta la
existencia de una probabilidad para decretar el proce-
samiento (o abrir el juicio oral, o decretar la conversión
en abreviado —art. 779.1.4ª—), en tanto que la Au-
diencia para llegar a un pronunciamiento condenatorio
necesitará certeza. En lo demás, la posición es idéntica.
Si el Instructor aprecia la existencia de una causa de
justificación (v.gr. ejercicio legítimo de la libertad de
información), razones que pueden llevar a la inculpa-
bilidad (error sobre la falsedad de la imputación o un
error de tipo) o una excusa absolutoria, deberá denegar
el procesamiento o la apertura del juicio oral por no
existir indicios de «criminalidad».

La única salvedad que en un plano teórico hay que
efectuar a este planteamiento es la relativa a las cau-
sas de inimputabilidad que llevan aparejadas medidas
de seguridad. En tales casos es preceptivo entrar en el
juicio oral no ya porque no pueda constatar esas cir-
cunstancias el Instructor (en muchas ocasiones contará
con elementos sobrados para ello) sino porque se ha-
ce imprescindible el plenario para decidir sobre la im-
posición o no de medidas de seguridad, a veces más
gravosas que la propia pena, dando oportunidad para
una defensa plena. Y, es que, en esos casos, aunque la
sentencia sea formalmente absolutoria, encierra una
condena al sometimiento a una medida de seguridad.

Es todo esto predicable de los supuestos de injuria
y calumnia. Otra interpretación, aparte de no contar
con base legal suficiente, supondría someter injustifica-
damente al querellado a las cargas que se derivan del
juicio oral y, además, se traduciría en una vulneración
indirecta del derecho a un proceso sin dilaciones inde-
bidas. No sólo el derecho del querellado que tendría
que esperar al juicio oral, con todas las demoras, cargas
y coste social que ello puede comportar, para obtener
una definitiva resolución exculpatoria cuya proceden-
cia era constatable ya desde antes; sino también del
propio querellante, que no verá expedita la vía civil
hasta que esté definitivamente resuelta la causa penal.

Fuera de estos casos el uso de la fuerza puede desencadenar responsabilidad penal. Pensemos en el caso de la ocupación de viviendas vacías o abandonadas por sus propietarios. Al convertirse en domicilio para los usurpadores, las FCS tendrían vedada la entrada y desalojo por la fuerza si no disponen de una orden judicial porque no se estaría cometiendo un flagrante delito (art. 18 CE). Es decir, una actuación de sentido común, cual sería que las FCS dieran solución a un problema real y efectivo, en cambio se posterga con la intervención judicial, que supone consentir y alargar la ilegalidad durante años, sorteando todo tipo de obstáculos procesales (notificaciones por edictos, recursos...). Es más en algún caso el "ocupa" ha llegado a exigir una renta al propietario y, en caso de que éste haya desplegado la fuerza, ha sido condenado como culpable de un delito de lesiones porque no podía expulsar al usurpador de su propio domicilio.

En cualquier caso insistimos en que el derecho penal opera como un límite negativo sobre el uso de la fuerza en derecho administrativo: desde el punto de vista práctico el agente policial conoce que su actuación puede alcanzar hasta donde aparezca el tipo penal. El problema en este punto es que las fronteras entre infracción (y en ocasiones licitud) en sede administrativa y delito distan mucho de ser claras[97], generando confusión entre los operadores jurídicos y en ocasiones injusticias.

---

[97]   ALARCÓN SOTOMAYOR, L. <<Los confines de las sanciones: en busca de las fronteras entre Derecho penal y derecho administrativo sancionador>> *Revista de Administración Pública* núm. 195. 2014. Págs. 135 a 167. CANO CAMPOS, T. <<El concepto de sanción y los límites entre el Derecho penal y el Derecho administrativo sancionador>> En BAUZÁ MARTORELL, F. J. (Dir.) *Derecho administrativo y derecho penal... op. cit.* Págs. 207 a 236.

IV. LA FUERZA EN LA RESPONSABILIDAD PATRIMONIAL

La LOFCS tiene muy presente el dato de la responsabilidad de las FCS, tanto en su consideración de responsabilidad penal y disciplinaria, como en su vertiente de responsabilidad patrimonial (art. 5.6). Esta exigencia de responsabilidad tiene que ponerse en relación con la función policial, que se realiza en cumplimiento de un deber (art. 5.2.d LOFCS), que a su vez constituye una eximente penal (art. 20.7 CP), de manera que el uso de la fuerza es un medio legítimo[98].

En consecuencia el agente policial se debate en una frontera muy fina, apenas imperceptible, entre la legalidad y la ilegalidad, tanto por acción como por omisión. No podemos olvidar en consecuencia que el uso de la fuerza se halla intrínsecamente unido al ejercicio de una función pública con fundamento constitucional[99], de manera que la infracción de ese deber general de buena conducta funcionarial es generadora de responsabilidad patrimonial[100].

---

[98] LLOVERAS I FERRER, M. R. <<Policías que disparan. Los daños causados por armas de fuego utilizadas por la policía>> *In-Dret* 1/2000.

[99] SÁNCHEZ GARCÍA, M. I. *Ejercicio legítimo del cargo y uso de armas por la autoridad*. Bosch. Barcelona, 1995.

[100] SAINZ MORENO, F. <<Sobre la apreciación de la buena conducta en función del interés general y la responsabilidad patrimonial de la Administración>> *Revista Española de Derecho Administrativo* núm. 81. 1976. Págs. 201 a 211.

El derecho de daños, en sus distintas manifestaciones, se halla indisolublemente asociado a la institución de la responsabilidad patrimonial, dado que el autor de la lesión —si la causa en el ejercicio de sus funciones— es un servidor público, cuyos actos se imputan a la Administración[101].

En este sentido el legislador ya previó en los artículos 410 LRL de 1950, 135 del Reglamento de la LEF[102], 42 LRJAE[103], art. 145 LRJ-PAC y así continúa en la LRJSP (art. 36) la obligación de reclamar directamente contra la Administración, sin perjuicio de la acción de regreso contra el funcionario.

En cualquier caso, independientemente de que los daños derivados de actuaciones policiales deriven de la responsabilidad común de la Administración o por el funcionamiento anormal del servicio público[104], o de que la

---

[101] Incluso aunque el efectivo policial no se encuentre de servicio, su intervención en materia de seguridad resulta extensible —como veremos— a su función pública, motivo por el cual en ocasiones el daño infligido sí será incardinable dentro de la responsabilidad patrimonial de la Administración. *Vid.* en este sentido NAVARRO MUNUERA, A. E. <<La ampliación de la responsabilidad patrimonial de la Administración a los daños ocasionados por sus funcionarios o agentes actuando al margen del servicio público>> *Revista Española de Derecho Administrativo* núm. 60. 1988. Págs. 603 a 610.

[102] Sobre el régimen de la responsabilidad patrimonial en la LEF, no puede dejar de mencionarse la monografía de GARCÍA DE ENTERRÍA, E. *Los principios de la nueva Ley de Expropiación Forzosa.* Thomson Civitas. Madrid, 2006.

[103] Para un examen de la responsabilidad patrimonial y, muy especialmente de la acción de regreso, en la LRL y la LRJAE, *vid.* RIVERO ISERN, E. <<La responsabilidad civil del funcionario público frente a la Administración>> *Revista de Estudios de la Vida Local* núm. 177. Enero-marzo, 1975. Págs. 1 a 27.

[104] Sobre este debate, *vid.* BARCELONA LLOP, J. <<Responsabilidad por daños derivados de actuaciones policiales>> *Documentación administrativa* núm. 237-238. Enero-junio 1994. Págs. 333 a 390. Del mismo autor, vid. <<Policía de seguridad y

actuación policial sea objetivamente causante del daño o deba contener un plus de ilicitud[105], la jurisprudencia en nuestro país ha configurado la doctrina sobre los daños imputables a la Administración en función de la participación de la víctima[106], como también resulta obligado analizar la responsabilidad subsidiaria de la Administración, y por último los efectos que pueden derivar sobre los agentes en materia de acción de regreso o de responsabilidad disciplinaria.

1. DOCTRINA SOBRE LOS DAÑOS OCASIONADOS POR EL USO DE LA FUERZA

A. *Antijuridicidad y asunción del riesgo por la víctima*

Sin perjuicio de otras lesiones causadas por la coacción directa (empujones, porrazos...) el caso prototípico de los daños causados a particulares por parte de las FCS consisten en el impacto de pelotas de goma que se utilizan para disolver manifestaciones[107].

Desde antiguo la jurisprudencia viene distinguiendo los casos en que la víctima es un mero transeúnte que circula por la calle y se ve afectado por la fuerza policial, de aquellos otros que participan voluntaria y activamente

---

responsabilidad patrimonial de las Administraciones Públicas>> *Revista Aragonesa de Administración Pública* núm. 2. 1993. Págs. 51 a 134.

[105] DOMÉNECH PASCUAL, G. <<Responsabilidad patrimonial de la Administración por actos jurídicos ilegales ¿Responsabilidad objetiva o por culpa?>> *Revista de Administración Pública* núm. 183. Madrid, septiembre-diciembre 2010. Págs. 179 a 231.

[106] MARTÍN REBOLLO, L. *La responsabilidad patrimonial de la Administración en la jurisprudencia.* Civitas. Madrid, 1977. Pág. 30.

[107] GARCÍA GONZALO, T. "Actuaciones policiales" En MARTÍN REBOLLO, L. (Dir.) *La responsabilidad patrimonial de las Administraciones Públicas.* Consejo General del Poder Judicial. Madrid, 1996. Págs. 123 a 152.

de los desórdenes[108]. Por ello resulta relevante el análisis del dato de la antijuridicidad: si la víctima se situó en posición de riesgo alterando el orden público, el daño causado por las FCS en su ejercicio de mantener la seguridad ciudadana no es antijurídico; por el contrario, si la víctima es un mero espectador no involucrado en los desórdenes, en ese caso se presume la culpa de los agentes por funcionamiento anormal de los servicios públicos[109].

Tal es el caso que analiza la Audiencia Nacional, Sala de lo Contencioso, Sección 1ª, en Sentencia de 9 de junio de 2000 (rec. 428/1998), que analiza un supuesto en que dos grupos de mariscadores de las rías de Corbillón y de Cambados se enzarzaron violentamente en la Playa de El Castelete para defender sus áreas de marisqueo. La Guardia Civil tuvo que desplegar su unidad antidisturbios y dos mujeres resultaron heridas por pelotas de goma, formulando la correspondiente reclamación de responsabilidad patrimonial. Entiende la Audiencia Nacional que el nexo causal se rompe cuando las dos lesionadas se situaron en una posición de riesgo[110].

---

[108]   Sentencias del Tribunal Supremo de 22 de abril de 1994 (rec. 3197/1991); 1 de julio de 1995; 7 de octubre de 1995; 2 de marzo de 1996 (rec. 2317/1993); 27 de enero de 1998 (rec. 4860/1993); y 27 de noviembre de 2000 (rec. 6589/1996), entre otras; Sentencia de la Audiencia Nacional, Sala de lo Contencioso-administrativo, Sección 1ª, de 11 de octubre de 2002 (rec. 336/2000).

[109]   BAUZÁ MARTORELL, F. J. *La presunción de culpa en el funcionamiento de los servicios públicos*. Civitas – Thomson Reuters. Cizur Menor, 2017. Pág. 124.

[110]   En efecto, no nos hallamos ante un hecho que surge espontáneamente en un momento determinado y que puede sorprender a alguna persona que no había tenido hasta ese momento relación alguna con la situación. En los hechos probados la sentencia penal refiere amplios antecedentes, la existencia de una convocatoria en la Playa de «El Castelete» para defender el derecho a mariscar en las parcelas delimitadas por la concesión a partir de las 8 h del día 13 Nov. 1989, el enfrentamiento entre los mariscadores de Corbillón y de Cambados, se habla de doscientos o

No es muy distinto este supuesto del que se ventila en la Sentencia de la Audiencia Nacional, Sala de lo Contencioso-administrativo, Sección 5ª, de 9 Jul. 2008 (rec. 259/2007), que considera improcedente la indemnización por daños por impacto de una pelota de goma lanzada por los agentes de la fuerza pública durante la represión de actos vandálicos en la Plaza del Ochavo de

---

trescientos por cada uno de los bandos, la obligada intervención de las fuerzas del orden, diálogos, advertencias y requerimientos durante un extenso lapsus de tiempo, lanzamiento de piedras entre ambos grupos enfrentados, que cogió en medio a los miembros de la Guardia Civil, consulta del Jefe de la fuerza con el Gobernador Civil, enardecimiento del grupo de Corbillón y finalmente tras nuevos avisos para que se retiraran y disparos al aire es cuando se utilizan los medios antidisturbios.

Respecto al día siguiente, 14 Nov., la Guardia Civil establece un dispositivo de seguridad hacia las ocho horas en las proximidades de la misma playa al haber recibido noticias sobre posibles movilizaciones en el lugar, en el que llegan en número aproximado de trescientos mariscadores de Corbillón, siguiendo una actuación similar a la del día anterior, y con tan desafortunados resultados.

Consideramos que en estas circunstancias no cabe mantener que las lesionadas se desplazaron el correspondiente día al lugar ajenas a la concentración y simplemente a mariscar, situación que se presenta como impensable. La consecuencia lógica es que en el lugar solo se hallaban los que habían acudido siguiendo la convocatoria, dispuestos a defender lo que estimaban eran sus intereses, pero a sabiendas de la situación legal, con existencia de concesiones administrativas de tercero que no querían respetar. Pues bien, el arriesgarse a participar en tales hechos, o al menos a estar presentes en los mismos, conlleva en ambos supuestos el deber jurídico de soportar el daño causado, a menos que éste sea antijurídico porque la respuesta o reacción de las Fuerzas de Orden Público resulte desproporcionada en medios y modos atendidas las circunstancias —como establecen, entre otras, las sentencias del Tribunal Supremo de 7 Oct. 1995 y 2 Mar. 1996—.

No advertimos que sea el caso, las fuerzas, siguiendo las órdenes del capitán que también es juzgado en la misma sentencia, actúan de forma prudente, sin precipitaciones, y por más que en uno de los fundamentos de derecho se apunte la posible existencia de actuación antirreglamentaria, la hipótesis, que no resulta vinculante, se hace en términos de simple posibilidad.

Valladolid a las tres de la madrugada del 5 de septiembre de 2005. Al decir del Tribunal la víctima reclamante se colocó voluntariamente en una situación de riesgo al encontrarse inmerso en un tumultuoso enfrentamiento con las fuerzas del orden que motivó una respuesta por parte de las mismas a la vista de que se le arrojaban botellas, se cortaban las calles, y ello con un previo aviso del peligro que tal situación podía generar y que consistió en la realización de dos simulacros de cargas con salvas, tras los cuales se lanzaron las pelotas de goma.

Por su parte la Sentencia del Tribunal Supremo, Sala Tercera, de lo Contencioso-administrativo, Sección 4ª, de 26 Oct. 2011 (rec. 5046/2007) analiza el caso de un menor que, sin haber participado en los desórdenes, sufrió daños como consecuencia del cruce entre el lanzamiento de botellas por ultras de un equipo de fútbol en las inmediaciones del estadio y las pelotas de goma de las fuerzas antidisturbios. En este caso, aunque la víctima no tuviera una participación activa en los desórdenes, no se pudo demostrar que el daño procedía de las pelotas de goma, por lo que la reclamación no prosperó[111].

---

[111]   El daño que se reclama es cierto, efectivo y evaluable; pero como ya expuso la Sala de instancia, falta el nexo de causa a efecto entre el hecho en sí, el daño sufrido por el menor, y que el mismo fuera imputable a la Administración por la actuación de las Fuerzas de Seguridad del Estado que prestaban servicio para salvaguardar el orden en el acontecimiento deportivo que el menor, juntos con sus familiares y amigos de éstos, se aprestaban a presenciar.
La valoración de la prueba corresponde a la Sala de instancia, y solo cuando la misma incurra en una valoración arbitraria, o carente de lógica, o infrinja la valoración de una prueba tasada, es posible que el tribunal de casación pueda anular la sentencia y examinar de nuevo aquélla, con las consecuencias que en ese excepcional supuesto, puedan derivarse del hecho de que el tribunal de casación en tareas de tribunal de instancia, haya de resolver lo que corresponda dentro de los términos en que apareciera planteado el debate.

Por último debemos admitir que la actuación ilegal de la víctima no tiene por qué exonerar completamente la responsabilidad por los daños causados por el efectivo policial, debiendo analizar en todo caso la concurrencia de culpas[112].

B. *Proporcionalidad*

La proporcionalidad como principio inspirador de la actuación de las FCS también resulta predicable en materia de responsabilidad patrimonial. No puede dejar de

---

No es este el caso. Y aun cuando la relación de causa a efecto es una cuestión jurídica que sí puede apreciarse en casación, ello ha de hacerse de acuerdo con los hechos declarados probados; y así, en este supuesto, lo único que queda acreditado es el hecho de que la lesión sufrida por el menor se causó en el transcurso de la refriega en la que aquél se vio envuelto entre las Fuerzas del Orden y quienes a ellas se enfrentaban, sin que en modo alguno exista prueba que demuestre que la lesión la produjo, como se pretende, el lanzamiento de una pelota de goma por un miembro de la Policía Nacional.

Ni el médico que en el momento inmediato al hecho atendió al menor, ni quienes estaban junto a él en el instante en que recibió el impacto, afirman que el mismo fuese alcanzado por una pelota de goma. De modo que la lesión bien pudo causarla cualquier otro objeto lanzado en el tumulto que se formó como consecuencia del altercado producido entre hinchas violentos y la Policía, bien fuere una botella u otro objeto contundente lanzado por quienes se enfrentaban con la Policía. No es bastante para excluir esa posibilidad, que se diga que en la herida no existía señal de corte alguno, hecho que se considera suficiente para concluir que el impacto lo causó una pelota de goma lanzada por un agente, ya que si el impacto lo produjo una botella, o cualquier otro objeto semejante, no necesariamente aquéllos habrían de producir cortes (FD Cuarto).

[112] El profesor CARRO analiza la doctrina jurisprudencial, especialmente a partir de la Sentencia del Tribunal Supremo de 18 de enero de 1982, sobre concurrencia de culpas entre la víctima del daño y el agente causante del mismo. CARRO FERNÁNDEZ-VALMAYOR, J. L. <<Sobre responsabilidad administrativa y coacción directa>> *Revista de Administración Pública* núms. 100-102. Enero-diciembre 1983. Pág. 1203.

hacerse referencia a la Sentencia del Tribunal Supremo, Sala Cuarta, de 18 de enero de 1982, en la que se ventila la reclamación de responsabilidad patrimonial por los siguientes hechos: el 29 de noviembre de 1975 un vecino de Sabadell alerta a la Policía Armada porque un individuo está tratando de acceder a su vivienda por la terraza. Al llegar la policía le da el alto, pero el intruso sale corriendo, le efectúan tres disparos y cae al suelo falleciendo en el acto. El supuesto ladrón resultó ser un joven de veinte años novio de la hija del propietario del inmueble. Considera la Sala que en este caso el uso de la fuerza no ha sido proporcional, motivo por el cual condena al Estado a indemnizar al padre de la víctima[113].

En este mismo sentido la Sentencia del Tribunal Supremo, Sala Tercera, de lo Contencioso-administrativo, Sección 6ª, de 1 Jul. 1995 (rec. 2029/1992), analiza los siguientes hechos: el 11 de julio de 1978 se lleva a cabo en San Sebastián una vasta operación perfectamente orquestada de acoso a edificios oficiales, con lanzamiento de botellas, adoquines y mobiliario urbano; una concentración especialmente violenta formó barricadas frente a la Comisaría de Policía Nacional de la cuesta de Aldapate, con el objetivo de impedir la salida de dotaciones para atender las llamadas de otros puntos de la ciudad donde se repetían incidentes similares. Un manifestante falleció de un disparo y la Audiencia Nacional (Sentencia de 6 de julio de 1992, confirmada por el Tribunal Supremo, con-

---

[113] Sobre un comentario a esta Sentencia, *vid.* SEQUEIRA DE FUENTES, F. <<Responsabilidad patrimonial de la Administración Pública con ocasión del uso de las armas por los agentes públicos>> *Revista de Administración Pública* núm. 99. Septiembre-diciembre, 1982. Págs. 263 a 269. También esta Sentencia es objeto de comentario en FERNÁNDEZ FARRERES, G. <<Responsabilidad patrimonial de la Administración derivada del uso de las armas por los agentes públicos>> *Revista Española de Derecho Administrativo* núm. 34. 1982. Págs. 497 a 504.

sidera que –pese a la violencia de los enfrentamientos, el recurso a las armas de fuego no se encuentra justificado, porque la respuesta a la violencia de los manifestantes no fue proporcionada en medios y modos, al utilizar munición de armas de fuego, toda vez que en ningún momento se encontraron en situación de extremo peligro que justificase el empleo de armas de fuego con proyectil[114].

C. *Daños ocasionados por agentes fuera de servicio*

Otro debate que ha resuelto la doctrina consultiva y la jurisprudencia consiste en la extensión de la responsabilidad a la Administración por los daños causados con el uso de la fuerza por parte de efectivos policiales fuera de servicio.

En este sentido debe significarse que inicialmente la Administración —si la responsabilidad descansaba en el funcionamiento normal o anormal de los servicios públicos— no podía responder de los daños causados por la actividad estrictamente privada de sus funcionarios y agentes, máxime si esta actividad era ilegal[115]. El Consejo

---

[114]   «Admitido entonces con estas matizaciones que el disparo procedió del bando de las F.O.P., lo que está fuera de toda duda es que las dotaciones policiales no se encontraron en momento alguno en situación de tan extremo peligro que justificase acudir como ultima ratio al empleo de armas de fuego con proyectil. Cierto que el acoso era intenso. Cierto también que necesitaban abrirse paso hacia otros lugares conflictivos. Y cierto igualmente que los medios antidisturbios reglamentarios y de empleo legítimo normalmente en estas gravísimas situaciones pueden ocasionar graves lesiones e incluso la muerte, pero entraría su utilización dentro de los parámetros de normalidad y deber de actuar. El recurso al proyectil real exige un plus de riesgo o necesidad que no existía o al menos no consta objetivamente. De ahí que haya de considerarse ilegítimo el medio empleado para restablecer la normalidad alterada y cumplir con el deber».

[115]   GARCÍA DE ENTERRÍA, E. <<La responsabilidad del Estado por comportamiento ilegal de sus órganos en Derecho español>> *Revista de Derecho Administrativo y Fiscal* núm. 7. 1964. Pág. 25.

de Estado exigía para la exclusión de la responsabilidad patrimonial que el funcionario causante del daño hubiera actuado "con desconexión total" del servicio[116].

Sin embargo, el proceso de objetivación de la responsabilidad patrimonial ha conducido a extender las actuaciones dañosas de los agentes fuera de servicio a la Administración siempre que no sean estrictamente privadas. Esta imputación del daño a la Administración viene fundamentada en la función de garantía debida a los particulares, siempre que la lesión causada se manifieste externa y objetivamente como el resultado o la consecuencia de una actividad pública o, si se quiere, como el resultado del comportamiento de un empleado público que, desde el punto de vista del sujeto dañado, ha actuado en su calidad pública[117].

En este sentido no puede dejar de citarse la Sentencia del Tribunal Supremo, Sala Tercera, de lo Contencioso-administrativo, Sección 6ª, de 30 Nov. 2005 (rec. 7059/2001), que considera indemnizable los daños producidos por el hijo de un agente de policía, que dispara un arma no reglamentaria que guardaba su padre en un armario sin la debida cautela para su custodia. Valora la actitud descuidada y negligente del funcionario que guardó el arma en su domicilio en lugar de fácil acceso y búsqueda, de manera que considera que el título de imputación de la Administración se encuentra en la concesión al funcionario de la titularidad del arma, y en consecuencia el Estado se constituye en garante frente a terceros del uso proporcional y adecuado del arma.

---

[116] Dictamen de 11 de abril de 1962.
[117] LEGUINA VILLA, J. *La responsabilidad civil de la Administración pública. Su formulación en el Derecho italiano y análisis comparativo con los ordenamientos francés y español.* Madrid. Tecnos, 1970. Pág. 220.

> *El título de imputación de la Administración que definiría en este supuesto la relación de causa a efecto entre ella y el resultado producido y el daño causado que habrá que indemnizar, se encuentra en la concesión u otorgamiento al funcionario de policía de la titularidad de un arma que no es la reglamentaria, y que se le concede, a sabiendas de los riesgos que ello comporta, como consecuencia de la confianza que en aquél deposita la Administración.*

2. RESPONSABILIDAD CIVIL SUBSIDIARIA DE LA ADMINISTRACIÓN

Curiosamente la jurisprudencia en materia de responsabilidad por daños es más numerosa en el orden penal que en el contencioso, al amparo del art. 121 CP, según el cual el Estado, la Comunidad Autónoma, la provincia, la isla, el municipio y demás entes públicos, según los casos, responden subsidiariamente de los daños causados por los penalmente responsables de los delitos dolosos o culposos, cuando éstos sean autoridad, agentes y contratados de la misma o funcionarios públicos en el ejercicio de sus cargos o funciones siempre que la lesión sea consecuencia directa del funcionamiento de los servicios públicos que les estuvieren confiados, sin perjuicio de la responsabilidad patrimonial derivada del funcionamiento normal o anormal de dichos servicios exigible conforme a las normas de procedimiento administrativo, y sin que, en ningún caso, pueda darse una duplicidad indemnizatoria[118].

---

[118] CASINO RUBIO, M. *Responsabilidad civil de la Administración y delito*. Marcial Pons. Madrid, 1998. CENDOYA MÉNDEZ DE VIGO, J. M. <<La responsabilidad civil subsidiaria del Estado: especial referencia a los delitos cometidos por las fuerzas y cuerpos de seguridad del Estado (análisis de la jurisprudencia del Tribunal Supremo)>> *Actualidad penal*. Marzo 1997. GUTIÉ-

La Sentencia del Tribunal Supremo, Sala Segunda, de lo Penal, de 19 de octubre de 1992 (rec. 1698/1991) analiza en este sentido el supuesto de un agente de la Policía Nacional que, estando libre de servicio, presenció un altercado y efectuó disparos al aire con su arma reglamentaria, si bien uno de los alborotadores reclamó la presencia de sus compañeros con la intención de agredir al agente y diciendo que los disparos eran de fogueo. En ese momento el agente disparó al pecho del joven, causándole la muerte. La Audiencia Nacional condenó al agente por un delito de homicidio a la pena de doce años y un día de reclusión menor y al pago de una cuantiosa indemnización a la madre del fallecido y a sus hermanos, declarando responsable civil subsidiario al Estado. La Abogacía del Estado recurrió la sentencia alegando esencialmente que el Policía se encontraba fuera de servicio, si bien el Tribunal Supremo considera que no ha lugar a la casación porque actuó en su condición de agente de la autoridad[119].

RREZ GIL, A. J. "La responsabilidad civil subsidiaria del Estado en el proceso penal" En AA.VV. *La responsabilidad patrimonial del Estado*. Boletín del Ilustre Colegio de Abogados de Madrid núm. 24. 2003. Tomo II. Págs. 263 a 286. ROCA GUILLAMÓN, J. "La responsabilidad del Estado y de las Administraciones Públicas por delitos de sus funcionarios". En MORENO MARTÍNEZ, J. A. *Perfiles de responsabilidad patrimonial en el nuevo milenio*. Dykinson. Madrid, 2000. Págs. 487 a 530.

[119] Según reiterada y pacífica doctrina (SS 8 Feb. y 6 Abr. 1990) surge la obligación entre ambas partes (Estado y Policía) si los dos, infractor y responsable subsidiario, se encuentran ligados por una relación jurídica o de hecho, un vínculo, en definitiva, en virtud del cual el responsable penal se halle bajo la dependencia de su principal (onerosa o gratuita, duradera, circunstancial o esporádica), a medio de una tarea, misión o servicio ejecutado, en cuanto al Agente de la Autoridad, dentro del marco de las obligaciones generales o del servicio permanente antes citado, siempre que el hecho generador del delito se produzca en el área del ejercicio, normal o anormal, de funciones encomendadas por pertenecer a su esfera o ámbito de actuación (con ello se presume

Por último no puede dejar de citarse el Acuerdo de la Sala Segunda del Tribunal Supremo de 17 de julio de 2002 en materia de responsabilidad civil subsidiaria del estado por los daños causados por agentes con el uso de su arma reglamentaria. Para el Tribunal Supremo la responsabilidad civil subsidiaria del Estado por los daños causados por los agentes de las fuerzas y cuerpos de seguridad, por el uso del arma reglamentaria, se deriva de que, aun cuando el arma no se haya utilizado en acto de servicio, el riesgo generado con el hecho de portarla sí es consecuencia directa del modo de organización del servicio de seguridad, por lo general beneficioso para la sociedad, pero que entraña este tipo de riesgos.

Pero el mero hecho de la utilización del arma reglamentaria no genera de manera necesaria la responsabilidad civil del estado, quedando ésta excluida en aquellos supuestos en los que el daño no sea una concreción del riesgo generado por el sistema de organización del servicio de seguridad.

Entre tales supuestos deben incluirse las agresiones efectuadas con el arma reglamentaria, en el propio do-

---

el conocimiento, consentimiento, anuencia o complacencia del responsable civil).

El acusado actuó en todo momento en su condición pública. El Policía, aun estando de paisano y gozando de horas libres, intervino para poner orden y aclarar un hecho delictivo. Cuando, como consecuencia de su intervención, se originó el enfrentamiento que el relato fáctico reseña, el acusado se refugió en el bar, mas, al comprobar que no había teléfono, quiso ir en busca de ayuda policiaca, para lo cual se montó en su vehículo con el que, por el camino terrizo que también aquel relato histórico indica, se encontró al grupo de alborotadores iniciales, con los que nuevamente, y por una serie de circunstancias varias, surgieron fuertes discrepancias y discusiones que culminaron con la acción violenta del acusado generadora de la muerte de una persona. Los actos revelan la obligación de actuar, en función de su condición personal, diera o no a conocer su profesión (FD quinto).

micilio del agente, contra sus familiares o personas que convivan con él.

Si bien, incluso en los casos mencionados en el apartado anterior, habrá responsabilidad civil subsidiaria del Estado, si existen datos debidamente acreditados, de que el arma debió habérsela retirado al funcionario por carencia de las condiciones adecuadas para su posesión.

3. CONSECUENCIAS PARA LOS EFECTIVOS POLICIALES DE LOS DAÑOS OCASIONADOS A PARTICULARES.

En un país que adolece de una falta de una teoría general sobre la responsabilidad patrimonial, demandada desde antiguo[120], la casuística de jurisprudencia y doctrina consultiva es todo lo amplia que se quiera. De cara a las FCS preocupan dos cosas sobre manera. Una es la posible acción de regreso contra el efectivo policial que, en ejercicio de sus funciones, ha causado un daño antijurídico; y otra, la eventual responsabilidad disciplinaria del efectivo policial que se ha excedido en el uso de la fuerza.

A. *Acción de regreso*

Una consecuencia ineludible de la causación de daños por efectivos policiales de los que responda la Administración, es la acción de regreso, prevista en el ordenamiento jurídico en el art. 36 LRJSP.

---

[120]   NIETO, A. <<La relación de causalidad en la responsabilidad del Estado>> *Revista Española de Derecho Administrativo* núm. 4. 1975. Págs. 90 a 95. SUAY RINCÓN. J. <<El derecho administrativo sancionador: perspectivas de reforma>> *Revista de Administración Pública* núm. 109. Enero-abril 1986. Págs. 185 y ss.

La acción de regreso obedece a la obligación de dirigir la reclamación de responsabilidad patrimonial frente a la Administración que el art. 145 LRJ-PAC contemplaba en su redacción original como una mera posibilidad, convertida en obligación a partir de la reforma operada por la Ley 4/1999.

Esta institución no ha sufrido cambio alguno en la LRJSP respecto de la LRJ-PAC[121], que sigue exigiendo —como presupuesto de hecho para repetir al funcionario el importe de la indemnización efectivamente satisfecha por la Administración— la existencia de dolo, o culpa o negligencia graves, y ponderando el resultado dañoso producido, el grado de culpabilidad, la responsabilidad profesional del personal al servicio de las Administraciones públicas y su relación con la producción del resultado dañoso.

Otra cosa es que la Administración deba trasladar al efectivo policial exactamente el importe que ha satisfecho al particular en concepto de indemnización, o si por el contrario puede modular el referido importe con fundamento en el art. 36.2 LRJSP, que obliga a ponderar —no sólo para la exigencia de responsabilidad, sino también para su cuantificación— el resultado dañoso producido, el grado de culpabilidad, la responsabilidad profesional del personal al servicio de las Administraciones públicas y su relación con la producción del resultado dañoso[122].

---

[121] Sobre la evolución legislativa de la responsabilidad civil de los funcionarios públicos desde la Ley de 5 de abril de 194 hasta la LRJSP, *vid.* ABOGACÍA DEL ESTADO. *Novedades en el Procedimiento Administrativo y en el Régimen del Sector Público.* Francis Lefebvre. Madrid, 2016. Págs. 454 y 455.

[122] Un sector doctrinal defiende que la cuantía exigible a través de la acción de regreso no tiene por qué coincidir con la indemnización satisfecha por la Administración a la víctima del daño. BARCELONA LLOP, J. <<La acción de regreso en la Ley de Régimen Jurídico de las Administraciones Públicas y del Procedi-

No puede dejar de tener sentido esta diferencia por cuanto la responsabilidad patrimonial se inspira en el principio de restitución íntegra del daño, mientras que la acción de regreso debe tener en cuenta las circunstancias en que el daño se lleva a cabo. La casuística obliga a ponderar que las circunstancias en que el efectivo policial se encuentra ejerciendo sus funciones las más de las veces se encuentran extra muros de la serenidad y templanza, enfrentándose a situaciones en las que existe un riesgo cierto para la vida del agente y de terceros. Ese riesgo es intrínseco a la función policial[123], de manera que al agente le viene dado actuar en el seno del mismo, de ahí que deba tenerse presente a la hora de valorar su eventual responsabilidad.

En cualquier caso debe admitirse la utilidad relativa de la acción de regreso, y no en vano en los repertorios de jurisprudencia no existe ejemplo alguno de un efectivo policial al que se le haya exigido el importe de una indemnización satisfecha por la Administración.

B. Responsabilidad disciplinaria

Distinto es el caso de la responsabilidad disciplinaria, que —por otro lado— debe significarse que sólo opera en la práctica en nuestro país en el seno de las FCS y las

---

miento Administrativo Común>> Revista Española de Derecho Administrativo núm. 105. Enero-marzo 2000. Pág. 55. Por el contrario, parada Vázquez es partidario de que ambos importes coincidan al objeto de evitar un riesgo discriminatorio. PARADA VÁZQUEZ, R. *Derecho Administrativo. Tomo II. Régimen jurídico de la actividad administrativa*. Marcial Pons. Madrid, 2017. Pág. 359.

[123]   DE LA VALLINA VELARDE, J. L. <<Responsabilidad patrimonial de autoridades y funcionarios. *Revista de Estudios de la Administración Local y Autonómica* núms. 274-275. INAP, 2001-2003. Pág. 337.

FFAA, siendo así que en la Administración General sólo se inician procedimientos disciplinarios en casos extremadamente graves.

De acuerdo con los principios de legalidad y tipicidad, el art. 7 de la Ley Orgánica 4/2010, de 20 de mayo, del Régimen disciplinario del Cuerpo Nacional de Policía, contempla como faltas muy graves acciones que pueden ocasionar daños físicos a los particulares: c) El abuso de atribuciones que cause grave daño a los ciudadanos, a los subordinados, a la Administración o a las entidades con personalidad jurídica; y d) La práctica de tratos inhumanos, degradantes, discriminatorios o vejatorios a los ciudadanos que se encuentren bajo custodia policial.

En términos similares, con el añadido del acoso moral, el art. 7 de la Ley Orgánica 12/2007, de 22 de octubre, del régimen disciplinario de la Guardia Civil tipifica como faltas muy graves: 6. El trato inhumano, degradante, o vejatorio a las personas que se encuentren bajo su custodia o con las que se relacionen por razón del servicio; 7. El abuso de atribuciones que cause grave daño a los ciudadanos, a entidades con personalidad jurídica, a los subordinados o a la Administración; y 8. La realización reiterada, en el marco de una relación de servicio, de actos de acoso psicológico u hostilidad.

4. ASUNCIÓN DEL RIESGO POR PARTE DEL EFECTIVO POLICIAL

La asunción del riesgo por parte del efectivo policial, que en muchas ocasiones impide que se le indemnice por un daño sufrido durante su actividad ordinaria. Tal es el caso de la Sentencia de la Audiencia Nacional, Sala de lo Contencioso-administrativo, Sección 5ª, Sentencia 231/2016 de 27 Abr. 2016 (rec. 118/2015), que confirma la improcedencia de indemnización por el fallecimiento de un militar cuando se encontraban en la cámara de calderas de una fragata, al reventar un tubo de caída de la caldera que causó vapor a gran temperatura. A juicio del Tribunal no hubo funcionamiento anormal del servicio, ya que se trató de un suceso fortuito, imprevisible e inevitable. Las operaciones de mantenimiento de la fragata no incluían la revisión de los tubos de caída, ni había antecedentes de fallos similares en otras plantas propulsoras del mismo tipo, por lo que no era posible descubrir o prever la existencia de las grietas que finalmente provocaron la explosión.

No deja de ser ilustrativa en este sentido la Sentencia del Tribunal Supremo, Sala Tercera, de lo Contencioso-administrativo, Sección 4ª, de 16 de junio de 2011 (rec. 4985/2009), en la que se deniega al recurrente, guardia civil de la agrupación de tráfico, la indemnización por los daños derivados de accidente de circulación acaecido en acto de servicio al perseguir a un sospechoso de la comisión de diversas actividades delictivas. El tribunal considera que no existe funcionamiento anormal de los servicios públicos, sino que —sin merma del valor de la conducta del guardia civil damnificado— las lesiones producidas en la persecución se encuadran en un supuesto de funcionamiento normal de la Administración, pues fue reclamado para la persecución de un presunto delincuente, incidencia ordinaria o normal dentro del campo propio de sus funciones, y del cumplimiento de dicho cometido se derivaron los perjuicios por los que reclama. En consecuencia, al no existir antijuricidad del daño, concluye que las lesiones se produjeron en acto de servicio, en cumplimiento de una obligación legal de actuar.

Como tampoco puede dejar de mencionarse la resolución del Tribunal Administrativo de Navarra 09105/2011, que recuerda al debate doctrinal en torno a la culpa in vigilando de la policía por el hecho de cual-

quier hurto o robo[124]. En este caso un policía municipal del Ayuntamiento de Pamplona sufrió daños en su
vehículo particular consistentes en pintadas, las cuatro
ruedas pinchadas y su número de placa en una diana con
una cruz gamada. El Tribunal desestimó la reclamación
de responsabilidad formulada por el agente por cuanto
en la vigilancia de la seguridad del espacio público en que
el coche se encontraba aparcado no se observó una falta
de diligencia, al tiempo que no se apreció un nexo causal
entre las vejaciones a que fue sometido el sujeto y el funcionamiento del servicio público de Policía Municipal.

Consciente de estas dificultades y sin perjuicio de la
inevitable casuística, el legislador ha previsto esta situación y de hecho para la Policía Nacional el art. 14 de la
Ley Orgánica 9/2015, que el deber de la Administración
de resarcir económicamente a los Policías Nacionales
cuando sufran daños materiales en acto o con ocasión
del servicio, sin mediar por su parte dolo, negligencia
o impericia graves, en los términos que reglamentaria-
mente se establezcan. Como también su artículo anterior
obliga a la Administración a proporcionar a los agentes de Policía Nacional asistencia y defensa jurídica en
los procedimientos que se sigan ante cualquier orden
jurisdiccional, como consecuencia del ejercicio legítimo
de sus funciones, como también a concertar un seguro
de responsabilidad civil, u otra garantía financiera, para
cubrir las indemnizaciones, fianzas y demás cuantías de-
rivadas de la exigencia de responsabilidad de cualquier
naturaleza a los Policías Nacionales, con motivo de las
actuaciones llevadas a cabo por parte de los mismos en el
desempeño de sus funciones o con ocasión de las mismas.

---

[124] JIMÉNEZ-BLANCO CARRILLO DE ALBORNOZ, A. <<Res-
ponsabilidad administrativa por culpa "in vigilando" o "in ommittendo">>. *Poder Judicial* núm. 2. 1986. Págs. 117-128.

Curiosamente estas previsiones de la Ley Orgánica de Régimen de Personal de la Policía Nacional no aparecen en la Ley 29/2014, de 28 de noviembre, de Régimen del Personal de la Guardia Civil.

V. EL USO DE LA FUERZA EN LA JURISPRUDENCIA

Cualquier análisis del uso de la fuerza en Derecho requiere no sólo el estudio del derecho positivo en los distintos sectores específicos (seguridad ciudadana, estados excepcionales, responsabilidad patrimonial y derecho penal), sino también el tratamiento que los operadores jurídicos dan a la ley en su interpretación en función de la casuística.

La jurisprudencia ha abordado la fuerza policial desde una doble vertiente, la protección y salvaguarda de los derechos humanos por un lado, y la perspectiva penal por otro.

1. TRIBUNAL EUROPEO DE DERECHOS HUMANOS

El Convenio para la protección de los derechos humanos y de las libertades fundamentales, hecho en Roma el 4 de noviembre de 1950, protege —entre otros derechos humanos— el derecho a la vida (art. 2) y la prohibición de la tortura (art. 3).

En materia de uso de la fuerza por parte de efectivos policiales, interesa analizar si la detención policial o la custodia en dependencias policiales o penitenciarias puede atentar contra la prohibición de la tortura ("Nadie podrá ser sometido a tortura ni a penas o tratos inhumanos o degradantes").

En este sentido no son pocas las Sentencias del TEDH que condenan a España como responsable por haber violado el art. 3 en su vertiente procesal y/o material, al tiempo que le obligan a indemnizar a la víctima por daño moral, así como gastos y costas.

Con frecuencia estas Sentencias hacen referencia a los informes que emite el Comité Europeo para la Prevención de la Tortura y de la Comisaría de Derechos Humanos, ambos del Consejo de Europa.

El Tribunal Constitucional español en Sentencia 12/2013, de 28 de enero de 2013, se refiere a la vinculación de los tratados internacionales en materia de derechos humanos, especialmente el TEDH, en relación al uso de la fuerza y la prohibición de la tortura:

> *(...) Los instrumentos internacionales citados establecen ciertas obligaciones que los Estados deben respetar para asegurar la protección contra la tortura. Así, y por lo que al presente recurso de amparo afecta, el art. 12 de la Convención contra la tortura señala que "todo Estado Parte velará porque, siempre que haya motivos razonables para creer que dentro de su jurisdicción se ha cometido un acto de tortura, las autoridades competentes procedan a una investigación pronta e imparcial". En el mismo sentido, el art. 9 de la Declaración sobre la protección contra la tortura dispone que "siempre que haya motivos razonables para creer que se ha cometido un acto de tortura tal como se define en el artículo 1, las autoridades competentes del Estado interesado procederán de oficio y con presteza a una investigación imparcial".*
>
> *Por su parte, el Tribunal Europeo de Derechos Humanos considera que cuando una persona afirma "de forma creíble (SSTEDH de 4 de abril de 2006) [TEDH 2006, 25], Corsacov c. Moldavia, § 68; y de 10 de abril de 2008 [PROV 2008, 105497], Dzeladinov y otros c. Macedonia, § 69) o de forma defendible haber sufrido, por parte de la policía u otros servicios del Estado, tratos contrarios al art. 3 del Convenio para la protección de los derechos humanos y de las libertades fundamentales, esta disposición, ... requiere, por implicación, que se realice una investigación oficial eficaz" (STEDH de1*

de octubre de 2009 [TEDH 2009, 100], Stanchev c. Bulgaria, § 67; STEDH de 28 de septiembre de 2010 [TEDH 2010, 99], San Argimiro Isasa c. España, § 34; y STEDH de 16 de octubre de 2012 [TEDH 2012, 92], Otamendi Egiguren c. España § 38). Así, se ha considerado que es "defendible" o "creíble" que las denuncias de torturas o malos tratos alegados podrían haber sido causados por la policía u otros servicios del Estado cuando los demandantes presentan fotografías de las heridas sufridas y certificados médicos como prueba (STEDH de 10 de abril de 2008 [PROV 2009, 105497], Dzeladinov y otros c. Macedonia, § 72); cuando consta que el demandante se ha quejado de haber sufrido malos tratos en todos los informes del médico forense y en los mismos se recoge una erosión de 1,5 centímetros en el lado derecho de la cara del demandante, sin establecer su origen (STEDH de 8 de marzo de 2011 [TEDH 2011, 29], Beristain Ukar c. España, § 30); cuando en los informes del médico forense se describen diferentes heridas y hematomas e incluso un intento de suicidio por parte de uno de los demandantes (STEDH de 2 de noviembre de 2004 [TEDH 2004, 65], Martínez Sala y otros c. España, §§ 156 y 160); cuando los informes médicos realizados durante el período de detención señalan la presencia de varios hematomas y una costilla rota (STEDH de 28 de septiembre de 2010 [TEDH 2010, 99], San Argimiro Isasa c. España, § 59); cuando según el correspondiente certificado médico el interesado presentaba un hematoma a nivel lumbar de tres a cuatro centímetros y los labios rotos y además, tuvo que permanecer bajo supervisión médica durante una semana antes de ser transferido nuevamente a la prisión (STEDH de 3 de abril de 2012 [PROV 2012, 122946], Dimitar Dimitrov c. Bulgaria, § 45); cuando las acusaciones sobre malos tratos son apoyadas por informe médico que confirma la existencia de un edema postraumático en el rostro y fractura de cuello (STEDH de 20 de diciembre de 2011 [PROV 2011, 430952], Pascari c. Moldavia, § 45); cuando en el certificado médico presentado por el interesado consta que tenía varias equimosis e inflamaciones superficiales en varias partes de su cuerpo (STEDH de 22 de julio de 2008

[TEDH 2008, 52], Boyko Ivanov c. Bulgaria, § 38); o cuando el demandante, estando en situación de detención preventiva, se queja en dos ocasiones de los malos tratos sufridos al haberle esposado y cubierto la cabeza con una bolsa de plástico (STEDH de 16 de octubre de 2012 [TEDH 2012, 92], Otamendi Egiguren c. España § 39). En estas circunstancias, y una vez que los demandantes han aportado elementos suficientes de los que se deriva una sospecha razonable de que las torturas o malos tratos alegados pueden haber sido causados por agentes policiales, el Tribunal Europeo de Derechos Humanos considera que las autoridades están obligadas a llevar a cabo una investigación eficaz para encontrar alguna prueba que confirme o contradiga el relato de los hechos ofrecidos por los demandantes."

"De otra parte, el Tribunal Europeo de Derechos Humanos distingue entre la posible violación del art. 3 del Convenio europeo para la protección de los derechos humanos y las libertades fundamentales ('Nadie podrá ser sometido a tortura ni a penas o tratos inhumanos o degradantes') en su parte sustancial y la posible violación de dicho precepto en su vertiente procesal. (…)

El aspecto procesal del art. 3 cobra relevancia 'cuando el Tribunal no puede llegar a ninguna conclusión sobre la cuestión de si hubo o no tratos prohibidos por el artículo 3 del Convenio debido, al menos en parte, al hecho de que las autoridades no reaccionaron de una forma efectiva a las quejas formuladas por los denunciantes' (STEDH de 17 de octubre de 2006 [TEDH 2006, 58], Danelia c. Georgia, § 45). En efecto, en numerosas ocasiones el Tribunal Europeo de Derechos Humanos, debido a la ausencia de elementos probatorios suficientes, ha concluido no poder afirmar con certeza, de acuerdo con su propia jurisprudencia, que el demandante fue sometido, durante su arresto y su detención, a los malos tratos alegados. Ahora bien, cuando la imposibilidad de determinar más allá de toda duda razonable que el demandante fue sometido a malos tratos contrarios al art. 3 del Convenio europeo "se desprende en gran medida de la ausencia de una investigación profunda y efectiva por las autoridades na-

cionales tras la denuncia presentada por el demandante por malos tratos", el Tribunal Europeo de Derechos Humanos declara violado el art. 3 del Convenio en su parte procesal (STEDH de 8 de marzo de 2011 [TEDH 2011, 29] Beristain Ukar c. España, §§ 39, 41 y 42; STEDH de 28 de septiembre de 2010 [TEDH 2010, 99], San Argimiro Isasa c. España, § 65; y STEDH de 2 de noviembre de 2004 [TEDH 2004, 65], Martínez Sala y otros c. España, §§ 156 y 160).)".

A. Doctrina del Consejo de Europa

El Comité Europeo para la prevención de la tortura y de las penas o tratos inhumanos o degradantes (en adelante, CPT) es un órgano del Consejo de Europa, cuyo objetivo es la prevención de los casos de tortura y otros tratos inhumanos o degradante en el territorio de los Estados signatarios de la Convención europea para la prevención de la tortura y de las penas o tratos inhumanos o degradantes que entró en vigor en 1989 y fue ratificada por los 47 países miembros del Consejo de Europa.

El CPT es en consecuencia el órgano encargado por el Consejo de Europa para vigilar las acciones de los países en materia de prevención de las violaciones a los derechos humanos y evaluar el trato dado a las personas privadas de libertad. Por este motivo, las delegaciones del CPT tienen acceso libre a todos los centros de detención, como prisiones, centros de menores, comisarías de policía, centros para inmigrantes detenidos, hospitales psiquiátricos, etc., del país al que visitan. En sus informes formulan sugerencias a las autoridades nacionales como resultado de la investigación efectuada.

En sus visitas periódicas a España, el CPT viene siendo crítico con el trato dispensado a detenidos en comisarías y centros penitenciarios. En el Informe correspondiente a 2017 el CPT detalla los resultados observados y se establecen una serie de recomendaciones, comentarios y requerimientos de información al Gobierno Español, clasificados en tres grandes bloques, referentes a las fuerzas del orden (sobre la detención preventiva y detención incomunicada), a los centros penitenciarios (sobre los malos tratos, las condiciones de detención en régimen ordinario, régimen cerrado, medidas de contención, atención sanitaria y otras cuestiones) y a los centros de detección de menores delincuentes (sobre los malos tratos, condiciones de detención, servicios sanitarios, plantilla, uso de medios de contención, disciplina y medidas de seguridad y otras cuestiones).

Sobre los diferentes aspectos recogidos en el informe, el CPT recomienda, entre otras cuestiones, que:

> *Las autoridades españolas permanezcan atentas en su esfuerzo por combatir los malos tratos por parte de los agentes de las fuerzas del orden. "En particular, se les debería recordar que no debe utilizarse más fuerza de la estrictamente necesaria al realizar una detención (...) y, una vez que se ha reducido a las personas, no existe justificación alguna para golpearlas".*

> *Se tomen medidas efectivas para poner fin a la sujeción de personas detenidas a objetos fijos.*

> *Se elimine de la legislación el régimen de incomunicación dentro de la detención policial.*

> *Las autoridades españolas "reiteren al personal un mensaje claro de que los malos tratos, el uso excesivo de la fuerza y la agresión verbal hacia los reclusos no son aceptables, debiendo estar más vigilantes las direcciones de los centros penitenciarios en esta materia".*

> *"Se adopten medidas para mejorar la capacidad del personal de prisiones a la hora de manejar situaciones de alto riesgo con el fin de no tener que recurrir a uso de la fuerza innecesariamente, ofreciéndoles formación en técnicas sobre maneras de evitar situaciones de crisis y apaciguar las tensiones, así como para la utilización de los medios control y contención de los reclusos. Además, el personal debería estar bajo una supervisión más*

estrecha por parte de la dirección y recibir formación
especial en técnicas de control y contención de reclusos
con tendencias suicidas y/o a la autolesión".

Se establezca una estrategia eficaz para combatir la
violencia entre los reclusos.

Se adopten las medidas necesarias para garantizar
que los reclusos vulnerables destinados en módulos de
régimen cerrado y en departamentos especiales reciban
la atención y tratamiento apropiados y que los presos
con trastornos mentales sean trasladados a un centro
médico adecuado.

En relación con la sujeción mecánica de presos, el
CPT advierte que se sigue recurriendo a este método
"durante periodos prolongados sin agotar otros medios
alternativos, sin la supervisión y el registro adecuados
para su aplicación, en ocasiones con carácter punitivo,
de forma inapropiada y a internos con síntomas de al-
gún tipo de trastorno mental", por lo que "insta a que
se ponga fin a la práctica actual de recurrir a la sujeción
mecánica regimental de los internos".

Específicamente, el CPT recomienda que "se adop-
ten las medidas necesarias para garantizar la presencia
de un psiquiatra y un psicólogo clínico a tiempo com-
pleto en las prisiones de León, Puerto III, Sevilla II y
Teixeiro".

Se revise la aplicación del Programa PAIEM, es-
timando insuficiente la vía terapéutica ofertada e ins-
tando a proporcionar a los internos afectados de un
trastorno mental de un entorno más apropiado, impli-
cando a las distintas categorías de profesionales sanita-
rios y formando específicamente al personal penitencia-
rio que trabaje con ellos.

Se adopten las medidas necesarias para armonizar
el enfoque para la prestación a los internos afectados
por toxicodependencia de unos servicios de reducción
de daños a nivel nacional.

Ampliar el abanico de actividades ofrecidas a los
menores que sufren un trastorno mental y no pueden
participar en actividades con otros menores, o consi-

derar el traslado de estos menores a un entorno más adecuado para ellos.

El personal de los centros de detección de menores, "incluidos aquellos con meras funciones de seguridad, deberían recibir formación profesional, tanto durante el periodo de orientación como de forma regular, y recibir el apoyo externo adecuado, así como ser supervisados en el ejercicio de sus tareas. Dentro de dicha formación, debe hacerse hincapié en la gestión de incidentes violentos, tales como el uso de técnicas verbales para reducir la tensión y técnicas manuales de restricción física".

El CPT considera que inmovilizar a menores en una cama o esposarlos a objetos fijos en una celda de aislamiento es un uso desproporcionado de la fuerza y una medida que es incompatible con la filosofía de un centro educativo que debería enfocarse en la educación y en la reintegración social de los menores.

El uso de la inmovilización como medio coercitivo y esposar a menores violentos y/o agitados a objetos fijos hasta que se calmen debería eliminarse de inmediato. En su lugar, deberían emplearse métodos alternativos en la gestión de incidentes violentos y otros medios de contención, tales como las técnicas verbales que impiden que aumente el conflicto y el control manual; esto requeriría que el personal, especialmente los oficiales de seguridad, recibieran una formación adecuada y certificada en el empleo de estos métodos.

"Las autoridades españolas desarrollen medidas para identificar a aquellos internos que corran el riesgo de autolesionarse y apliquen medidas preventivas, como el desarrollo de mecanismos de adaptación positivos y habilidades saludables para la resolución de problemas".

No muy distinta es la opinión de la Comisaría de Derechos Humanos del Consejo de Europa sobre el respeto a los derechos humanos, en particular en la detención incomunicada. En el último Informe el Comisario muestra su preocupación por las acusaciones de uso desproporcionado de la fuerza con ocasión del referéndum en Cataluña del 1 de octubre de 2017.

B. *Doctrina del TEDH*

El Tribunal Europeo de Derechos Humanos en su defensa del derecho a la vida contemplado en el art. 2 CEDH, ha tenido ocasión de analizar si el uso letal de la fuerza por parte de las FCS obedecía a sospechas razonables o se trataba de medidas absolutamente necesarias.

Así, en el caso *Armani da Silva contra el Reino Unido* (Sentencia de 30 de marzo de 2016; Application 5878/08) el TEDH se pronuncia sobre la muerte por disparos de la policía del ciudadano Charles de Menezes, al creer que estaba a punto de detonar una bomba en el metro de Londres, justo al día siguiente de un atentado que costó la vida a cincuenta y seis personas. Los familiares de la víctima recibieron una indemnización económica con base en la *Health and Safety and Work Act* de 1974, pero se absolvió penalmente a los dos policías autores de los disparos porque "creyeron honestamente que el uso de la fuerza era necesario"[125]. El Tribunal aprecia la proporcionalidad de la fuerza en una especial circunstancia de investigación en los atentados en el metro de Londres[126].

En efecto el día 21 de julio de 2005 explotaron varios artefactos en la red de transportes de Londres (tres vagones de metro y un autobús). La policía identificó algunos terroristas sospechosos que vivían en la misma calle que

---

[125] GARCÍA ROCA, J. (y otros). <<Jurisprudencia del Tribunal Europeo de derechos Humanos>>. *Revista Española de Derecho Administrativo* núm. 178. 2016. Págs. 44 y 45.

[126] Para un análisis más exhaustivo de esta Sentencia, *vid.* ANSUÁTEGUI ROIG, F. J. <<Una ocasión perdida: la Sentencia Armani da Silva v. Reino Unido (TEDH)>> *El Cronista del Estado Social y Democrático de Derecho* núm. 73. Enero, 2018. Págs. 48 a 55.

el Sr. De Menezes. A día siguiente al salir de su casa para ir a trabajar, fue confundido por un terrorista; sentado en el asiento de un vagón, dos policías le dispararon a la cabeza pensando que iba a detonar un explosivo supuestamente escondido en su cazadora.

La argumentación fundamental del TEDH en este caso gira en torno a la razonabilidad del uso de la fuerza. La demandante había denunciado que las autoridades británicas no habían comprobado si el uso de la fuerza había sido justificado desde el momento en que consideraron que el convencimiento honesto (*honest belief*) que tenían los policías de que la fuerza era necesaria, era un convencimiento razonable.

Considera el Tribunal que no es posible afirmar que las autoridades hayan desatendido la obligación que deriva del art. 2 de la Convención a la hora de establecer las circunstancias de la muerte de la víctima, determinar si la fuerza fue justificada o no en las circunstancias del caso, e identificar a los responsables. Dicho de otra manera, la decisión de procesar o no a los responsables de la muerte del Sr. De Menezes no se debe a un erróneo funcionamiento del procedimiento o a un exceso de tolerancia o a una colusión; por el contrario, se debe al hecho de que no se encontraron evidencias suficientes para determinar que es razonable pensar que los agentes de policía no tenían un convencimiento honesto y sincero de la necesidad imperiosa de utilizar la fuerza.

No muy distinto es el razonamiento del TEDH en el asunto *McCann contra el Reino Unido*, en Sentencia de 27 de septiembre de 1995, si bien con un resultado distinto en el sentido de que el TEDH sí consideró que se había violado el art. 2. La policía de Gibraltar detectó la presencia de tres terroristas del IRA y, después de seguirles, disparó a boca jarro contra ellos. Por un ajustado resultado de diez votos frente a nueve, el TEDH considera que existe violación del Convenio y que las muertes se podrían haber evitado[127].

No obstante lo anterior, puede apreciarse un cambio en la argumentación del TEDH, porque en el asunto McCann el Tribunal exigió la combinación de criterios subjetivos y objetivos para entender justificado el uso de la fuerza: la convicción honesta del agente y una razón objetiva que explique el recurso a la fuerza. En cambio, en el asunto Da Silva el TEDH opera un giro y hace descansar la justificación del uso de la fuerza en razones exclusivamente subjetivas[128].

En cualquier caso, el TEDH indica el dilema que asistió a los soldados gibraltareños en el caso McCann, entre proteger la vida de los habitantes de Gibraltar ante un posible acto terrorista y el deber de reducir a la mínima expresión el recurso a la fuerza letal contra los sospechosos. Este dilema es al que se enfrentan a diario las FCS de todo el mundo, en el ejercicio de su función de velar por la seguridad ciudadana, si bien con medios proporcionales y menos lesivos para la integridad y vida de los delincuentes.

Por último, debe citarse —por su relación directa con el uso de la fuerza— la Sentencia recaída en el caso *Saba-*

---

[127] MANZANO SOUSA, M. *Comentarios a la Sentencia del Tribunal Europeo de Derechos Humanos de 27 de septiembre de 1995 (Caso McCann y otros contra Reino Unido). La fuerza armada en un caso límite: la amenaza terroristas en Gibraltar.* Dykinson, 2001. MARTÍNEZ GUILLEM, R. <<Comentario sobre la Sentencia del Tribunal Europeo de Derechos Humanos de 4 de mayo de 2001>> *Anuario Español de Derecho Internacional* núm. 18. 2002. Págs. 255 a 278.

[128] REY MARTÍNEZ, F. <<La protección jurídica de la vida ante el Tribunal de Estrasburgo: un derecho en transformación y expansión>> *Estudios Constitucionales* núm. 1. Año 7. 2009. Págs. 331 a 360.

ni c. Bélgica, de 8 de marzo de 2022[129]. A la demandante le denegaron varias solicitudes de asilo y regularización de su estancia en Bélgica, ordenándole en varias ocasiones la expulsión del país. La última de tales órdenes contemplaba la decisión de mantenerla localizada en un lugar concreto. Por este motivo la Oficina de Extranjería ordenó a la policía local comprobar si la demandante había ejecutado la orden de expulsión, y —en caso negativo— arrestarla. La policía se presentó en su domicilio; la Sra. Sabani abrió la puerta, la policía entró en el interior y la detuvo, esposándola, y la condujo al centro de internamiento de Brujas.

La demandante denunció ante los tribunales nacionales la violación del art. 8 CEDH, relativo al respeto de su vida privada y familiar, de su domicilio y de su correspondencia. En sede nacional se desestimó su demanda, argumentando que la policía actuó según el procedimiento previsto, que no forzó la puerta y que el uso de las esposas se encontraba justificado por el riesgo de fuga.

Sin embargo, el TEDH considera que sí ha existido vulneración de la inviolabilidad del domicilio, por cuanto no se aprecia una voluntad inequívoca de la demandante a renunciar a su derecho y considera probado que la policía traspasó el umbral de la puerta para detenerla.

C. *Condenas del TEDH al Reino de España*

Vistos los informes del CPT y del Comisario de Derechos Humanos del Consejo de Europa, así como la doctrina general del TEDH, no podemos dejar de analizar las sentencias más relevantes que acusan a España de

---

[129] *Vid.* el comentario de esta Sentencia en BOUAZZA ARIÑO, O. <<Notas de jurisprudencia del Tribunal Europeo de Derechos Humanos>>. *Revista de Administración Pública* núm. 218. Mayo-agosto 2022. Págs. 293 a 295.

haber violado el art. 3 de la Convención con ocasión del uso de la fuerza ante una detención o una privación de libertad[130]. Con todo España se encuentra entre los países menos condenados en toda su historia por el Tribunal de Estrasburgo[131].

1. Asunto Beristain Ukar contra España

El 5 de septiembre de 2002 el demandante fue detenido en San Sebastián por la Guardia Civil por su participación en actos de desórdenes callejeros. Fue trasladado a Madrid e ingresó en prisión por orden del Juzgado de Instrucción 5 de la Audiencia Nacional.

El 30 de octubre de 2002 formuló denuncia ante el Juzgado de Guardia de San Sebastián, que se inhibió en favor del Juzgado de Instrucción 24 de Madrid, alegando

---

[130] Analizamos las sentencias más recientes, dejando antecedentes remotos como el Asunto Martínez Sala y otros contra España, que se ventiló en la Sentencia de la Sección 4ª del TEDH de 2 de noviembre de 2004 (rec. 58438/2000) y condenó a España por violación del art. 3 del Convenio porque las autoridades judiciales españolas rechazaron todas las solicitudes de práctica de prueba presentadas por los recurrentes, privándoles así de las posibilidades razonables de arrojar luz sobre los hechos denunciados.

Nos centraremos en sentencias que giran en torno a detenciones de terroristas, dejando otras cuestiones de menor índole como la que se analiza en la Sentencia del TEDH de 24 de julio de 2012 (caso B. S. contra España) y cuyo comentario puede leerse en BOUAZZA ARIÑO, O. <<Incumplimiento de la obligación de llevar a cabo una investigación adecuada en asuntos referidos a tratos degradantes>> *Revista de Administración Pública* núm. 189. Madrid. Septiembre-diciembre, 2012. Págs. 308 a 311.

[131] Según fuentes del TEDH, en términos absolutos de condenas en 2017 España ocupa el lugar número 24 con seis condenas, muy lejos de Rusia, que ocupa el primer puesto con 305, seguido de Turquía con 116 y Ucrania con 87. Italia ocupa el puesto número 12 con 31 condenas, Alemania el 19 con 16 condenas, Francia el número 24 con 12 condenas y Suiza el puesto 28 con 10.

haber sufrido torturas durante su desplazamiento a Madrid, en concreto golpes en la cabeza, sesiones de asfixia, vejaciones sexuales y amenazas de muerte y de violación. El Juzgado de Instrucción sobreseyó el procedimiento por falta de pruebas, sobreseimiento que fue confirmado por la Audiencia Provincial de Madrid por auto de 14 de julio de 2004. Formulado recurso de amparo por violación de los arts. 15 y 24 CE, fue inadmitido, motivo por el cual se dirigió al TEDH invocando la violación del art. 3 de la Convención.

En Sentencia de la Sección 3ª de 8 de marzo de 2011 (rec. 40351/2005) el TEDH consideró que España había infringido el art. 3 desde el punto de vista procesal y sustantivo por incumplimiento del derecho a una investigación independiente y eficaz sobre los hechos controvertidos, al tiempo que condenó al Estado a indemnizar al reclamante con 20.000 euros por daños morales y 3.000 euros por gastos y costas.

2. Asunto Etxebarría Caballero contra España

Junto a otras tres personas, la demandante en la noche del 1 de marzo de 2011, sobre las 04:00 h., fue detenida en su domicilio por agentes de la Guardia Civil en el marco de una investigación judicial sobre presuntos delitos de pertenencia a la organización terrorista ETA, tenencia de armas y explosivos, falsedad documental con fines terroristas, y participación en diversos delitos de terrorismo.

Alegó que, estando durmiendo con su pareja, la sacaron de la cama tirándole del pelo, y la esposaron con una cuerda, sin que pudiera vestirse. A las 14:30 h. la demandante fue reconocida por dos médicos forenses de Bilbao que verificaron unos hematomas compatibles con las maniobras realizadas para esposarla. En el trayecto en coche a Madrid, la demandante indicó haber sufrido amenazas, gritos y, mediante una bolsa de plástico tapándole la cabeza, dos episodios de asfixia.

Durante su detención incomunicada en las dependencias de la Dirección General de la Guardia Civil en Madrid, la demandante fue reconocida por un médico forense en seis ocasiones, efectuándosele el primer reconocimiento el 1 de mayo de 2011 a las 21:30 h. En el informe subsiguiente a este reconocimiento, el médico forense no detectó ningún rastro de malos tratos físicos e indicó que la demandante afirmaba haber sufrido amenazas. Certificó la presencia de lesiones que atribuyó a su detención violenta. Tras la partida del médico forense, a decir de la demandante, le habrían echado agua helada en el cuerpo tras haberla desnudado; sido objeto de amenazas; sometida a asfixia mediante una bolsa de plástico colocada en la cabeza, puesta sobre un taburete a cuatro patas abusando sexualmente de ella.

El día 15 de marzo de 2001 la demandante presentó una denuncia ante la Jueza de instrucción nº 1 de Bilbao, alegando haber padecido torturas durante su detención preventiva incomunicada. Solicitó que se presentaran copias de sus declaraciones, de los informes médicos realizados en Bilbao y en Madrid y de las grabaciones de las cámaras de seguridad en las dependencias donde estuvo detenida, así como que se revelara la identidad de los agentes presentes durante su detención preventiva. Solicitó además que los agentes fueran oídos por la Jueza así como los médicos forenses que la habían reconocido y los abogados designados de oficio presentes en sus declaraciones. Solicitó ser sometida a un detenido reconocimiento físico y psicológico por un médico y un ginecólogo, y ser oída.

Mediante Auto de 26 de mayo de 2011 la Jueza de instrucción nº 1 de Bilbao acordó un sobreseimiento provisional. Consideró, a la vista de los informes de los médicos forenses realizados durante la detención preventiva y de las copias de las declaraciones efectuadas por la demandante, que no había indicios de los malos tratos denunciados. El recurso presentado por la demandante ante la misma Jueza fue rechazado por decisión de esta última de fecha 28 de septiembre de 2011.

El día 3 de junio de 2011 la demandante recurrió y el 28 de septiembre de 2011 la Audiencia Nacional de Vizcaya ratificó el sobreseimiento. El día 2 de diciembre de 2011, la demandante recurrió en amparo ante el Tribunal Constitucional. Fue inadmitido mediante decisión del Alto Tribunal del 10 de mayo de 2012, notificada el día 16 de mayo de 2012.

Mientras tanto, la Audiencia Nacional resolvió sobre el fondo mediante sentencias dictadas los días 13 de febrero y 19 de abril de 2012, así como mediante sentencia dictada el 23 de julio de 2013 condenó a la demandante a varias penas de prisión por pertenencia a una organización terrorista, integración en un comando de una organización denominada Otazua y participación en un delito de asesinato.

El TEDH admite la demanda y considera que España infringe el art. 3 porque se practicó el sobreseimiento sin haber investigado con suficiencia y rigor las denuncias formuladas:

> *43. El TEDH recuerda que, cuando un individuo afirma de manera argumentada haber sufrido, de manos de la policía o de otros servicios equiparables del Estado, malos tratos contrarios al artículo 3, esta disposición, combinada con el deber general impuesto al Estado por el artículo 1 del Convenio de "reconocer a toda persona bajo su jurisdicción, los derechos y libertades definidos (...) [en el] Convenio", requiere, implícitamente, que haya una investigación oficial efectiva. Esta investigación, a semejanza de la que resulta del artículo 2, debe poder conducir a la identificación y al castigo de los responsables (ver, en lo que respecta al artículo 2 del Convenio, las sentencias McCann y otros c.*

Reino Unido, 27 de septiembre de 1995, § 161, serie A nº 324, Dikme c. Turquía, nº 20869/92, § 101, CEDH 2000-VIII, y Beristain Ukar, anteriormente citado, § 28 y Otamendi, anteriormente citado § 38). Si no fuera así, no obstante su importancia fundamental, la prohibición general legal de la tortura y de las penas o tratos inhumanos o degradantes sería ineficaz en la práctica y sería posible, en ciertos casos, que los agentes del Estado, gozando de una cuasi impunidad, pisotearan los derechos de aquellos sujetos a su jurisdicción (Assenov y otros c. Bulgaria, 28 de octubre de 1998, § 102, Recopilación 1998-VIII).

44. En el presente caso, el TEDH señala que la demandante fue puesta en detención preventiva incomunicada durante cinco días, en los que no ha podido informar de su detención a ninguna persona de su elección, ni comunicarle el lugar de detención y no la pudo asistir ningún abogado libremente elegido por ella, ni entrevistarse en privado con el abogado que le había sido asignado de oficio. La interesada se ha quejado de manera precisa y circunstanciada, de haber sido objeto de malos tratos durante su detención preventiva incomunicada: el 5 de marzo de 2011 cuando compareció ante el Juez central de Instrucción de la Audiencia Nacional; y una segunda vez, el 15 de marzo de 2011 cuando presentó denuncia ante la Jueza de Instrucción nº 1 de Bilbao. El TEDH estima entonces, que la demandante tenía una queja que se podía fundamentar al amparo del artículo 3 del Convenio. Recuerda que en este supuesto, la noción de recurso efectivo implica, por parte del Estado, detenidas y efectivas investigaciones cuyo fin sea conducir a la identificación y, en su caso, al castigo de los responsables (Selmouni c. Francia [GC], nº 25803/94, § 79, TEDH 1999-V).).

45. Tratándose de investigaciones llevadas a cabo por las Autoridades nacionales acerca de las alegaciones de malos tratos, el TEDH observa que, según las informaciones facilitadas, la Jueza de Instrucción nº 1 de Bilbao se limitó a examinar los informes de los médicos forenses y las copias de las declaraciones de la demandante cuando ésta había solicitado también la presentación de las grabaciones de las cámaras de seguridad de las dependencias en las que estuvo en detención preventiva y la identificación y la audiencia, por parte de la Jueza, de los agentes de la Guardia Civil que habían intervenido en dicha detención preventiva, así como la audiencia de los médicos forenses que la habían examinado y de los abogados designados de oficio presentes en sus declaraciones. También había solicitado ser oída personalmente y ser sometida a un detenido examen físico y psicológico por parte de un médico y de un ginecólogo. Ahora bien, sus solicitudes no han sido tomadas en consideración por la Jueza de instrucción n° 1.

46. El TEDH no consigue desvelar los motivos por los que las solicitudes de la demandante no han sido estimadas por la Jueza de instrucción n° 1 de Bilbao, cuando no había ninguna cuestión de orden práctico que lo impidiera. Observa en efecto que durante el procedimiento sobre el fondo ante la Audiencia Nacional que condujo a la sentencia de condena del 23 de julio de 2013, el Tribunal tomó en consideración las alegaciones de malos tratos de la demandante y procedió entonces, mucho después del sobreseimiento de la denuncia y en el marco de un procedimiento en el que ella era la acusada y no la parte acusadora, a las audiencias que había reclamado en el procedimiento correspondiente, a saber las de los médicos forenses, abogado de oficio y Guardias Civiles presentes durante su detención preventiva.

47. A la luz de los elementos que preceden, el TEDH estima que la investigación llevada a cabo en el presente caso no lo ha sido con el suficiente detenimiento ni efectividad para cumplir con los anteriormente citados requisitos exigidos por el artículo 3 del Convenio. Una investigación efectiva se impone sin embargo con mayor rigor, máxime cuando, como en el presente caso, la demandante se encontraba, en el período de tiempo en que se habrían producido los alegados malos tratos, en una situación de aislamiento y de total ausencia de comunicación con el exterior, un tal contexto exige un mayor esfuerzo, por parte de las autoridades internas, para determinar los hechos denunciados. El TEDH opina que la práctica de los medios de prueba adicionales sugeridos por la demandante, y muy particularmente el consistente en interrogar a los agentes a cargo de su vigilancia durante su detención preventiva, hubieran podido contribuir al esclarecimiento de los hechos, tal como lo exige la jurisprudencia del TEDH.

48. El TEDH insiste, además, sobre la importancia de adoptar las medidas recomendadas por el (CPT) para mejorar la calidad del reconocimiento médico forense de las personas sometidas a un régimen de detención incomunicada (apartado 28 y siguientes anteriores y Otamendi, anteriormente citado § 41). Estima que la situación de particular vulnerabilidad de las personas detenidas en régimen de incomunicación exige que la Ley de Enjuiciamiento Criminal prevea medidas de vigilancia adecuadas y que éstas se apliquen de forma rigurosa con el fin de evitar los abusos y de proteger la integridad física de los detenidos (apartado 30 anterior). El TEDH suscribe las recomendaciones del CPT, que hizo suyas el Comisario de Derechos Humanos del Consejo de Europa en su informe del 9 de octubre de 2013 (apartado 32 anterior) así como las observaciones del tercero interviniente (apartado 42 anterior) en lo que atañe tanto a las garantías a asegurar en este supuesto, como al principio mismo de la posibilidad de detención de una persona en régimen de incomunicación en España.

49. En conclusión, habida cuenta de la ausencia de una detenida investigación efectiva en relación con las alegaciones argumentadas de la demandante (Martínez Sala y otros c. España, n° 58438/00, § 156-160, del 2 de noviembre de 2004), según las cuales había sufrido malos tratos durante su detención preventiva, el TEDH estima que ha habido violación del artículo 3 del Convenio en su vertiente procesal.

En consecuencia falla que ha habido violación procesal y material del art. 3 de la Convención y condena al Estado a indemnizar con 25.000 euros a la demandante por daño moral y 4.000 euros por gastos y costas.

3. Asunto Ataun Rojo contra España

Vuelve a tratarse en este caso un asunto de ausencia de investigación efectiva por parte de las jurisdicciones internas españolas respecto de los malos tratos que denunció haber sufrido un detenido mientras se encontraba bajo custodia policial incomunicada.

El día 10 de noviembre de 2008 el Sr. Oihan Unai Ataun Rojo fue detenido por dos agentes de la policía nacional en el marco de una investigación judicial en relación con unos presuntos delitos de pertenencia a la organización llamada SEGI, una rama de ETA. Fue trasladado a la comisaría de Chinchilla de Pamplona, donde fue examinado por un médico forense, y después a la Dirección General de la Guardia Civil en Madrid, donde permaneció cuatro días en régimen de detención incomunicada. En su traslado a Madrid y en el transcurso de la detención incomunicada, el demandante habría sido, según dice, sometido a malos tratos en forma de amenazas y violencias físicas y psíquicas, advertidas en los reconocimientos médicos. En el consiguiente informe, el médico forense indicó que el demandante afirmaba haber sido esposado durante su traslado a Madrid, que le habían propinado unas collejas y que le habían presionado digitalmente en las mandíbulas. El demandante también afirma haber sido obligado a permanecer en cuclillas con las piernas separadas durante bastante tiempo. En otro episodio el demandante afirmó haber pasado frío por la noche, que le habían abofeteado en la cara en dos ocasiones, que le habían tirado de las patillas y que se le había tapado la cabeza en dos o tres ocasiones con una bolsa de plástico. Se le habrían tapado los ojos con una careta y obligado a realizar flexiones.

El 14 de noviembre de 2008 el Juez de Instrucción núm. 3 de la Audiencia Nacional acordó prisión provisional para el demandante.

El día 6 de abril de 2009 el demandante presentó denuncia ante el juez de guardia de Pamplona, alegando haber padecido malos tratos en su arresto y durante su detención. El demandante solicitó la aportación de las grabaciones de las cámaras de seguridad de los locales donde estaba detenido y la identificación y la audiencia de los agentes que le habían interrogado o que habían estado en contacto con él durante su detención incomunicada. Solicitó que se le realizará un reconocimiento médico para establecer la existencia de eventuales lesiones o secuelas psicológicas.

A instancia de la Fiscal encargada del caso ante el Juzgado de instrucción n° 4 de Pamplona, al que se había entre tanto dado traslado del asunto, el Juzgado central de Instrucción núm. 3 de la Audiencia Nacional remitió al Juzgado de Instrucción núm. 4 de Pamplona los informes médicos y las declaraciones efectuadas por el demandante durante su detención incomunicada. Sin embargo faltaban dos informes: el del médico forense de Pamplona y el correspondiente a la intervención del SAMUR del 12 de noviembre de 2008 en Madrid. Numerosas peticiones se sucedieron durante 13 meses para conseguir los informes que faltaban. El 12 de agosto de 2010, el informe médico extraviado por el Juzgado Central de Instrucción núm. 3 fue remitido por la policía al Juzgado de Instrucción núm. 4.

Mediante Auto de 10 de febrero de 2011, el Juez de Instrucción núm. 4 de Pamplona acordó un sobreseimiento provisional. A la vista de los informes de los médicos forenses durante la detención y de las copias de las declaraciones efectuadas por el demandante, consideró que la comisión del delito de tortura que el demandante imputaba a los agentes de la Policía nacional que participaron en el presente caso no estaba acreditada. Señaló, por otra parte, que en ausencia del "más mínimo indicio de criminalidad" la identificación y el interrogatorio de los agentes de policía que hubieran estado en contacto con el demandante serían inútiles y "únicamente servirían para exponer la identidad de quienes trabajan en labores de lucha antiterrorista y oír sus previsibles negaciones a lo imputado".

El demandante presentó un recurso de reforma ante el mismo Juez de Instrucción, que lo rechazó señalando contradicciones entre sus declaraciones ante la justicia y las que había realizado ante los médicos forenses, a quienes había afirmado haber sido maltratado, así como la ausencia de indicios de los hechos descritos en su denuncia.

Ante la apelación del demandante, mediante decisión del 14 de octubre de 2011, la Audiencia Provincial de Navarra, ratificó el auto de sobreseimiento, a la vista de los múltiples informes médicos examinados y en ausencia de indicios que permitieran seguir con la investigación. La Audiencia tuvo igualmente en cuenta el contenido de la declaración firmada por el demandante en el momento de su detención, que no hacía ninguna mención a los hechos posteriormente alegados.

El día 27 de enero de 2012 el demandante recurrió en amparo ante el Tribunal Constitucional basándose en los artículos 24 y 15 CE. Mediante decisión del 17 de julio de 2012, el Alto Tribunal acordó la inadmisión del recurso.

Presentada demanda ante el TEDH, éste en Sentencia de la Sección 1ª de 7 de octubre de 2014 (rec. 3344/2013), entiende que se ha vulnerado el art. 3 y condena a España a indemnizar a la demandante con 20.000 euros por daño moral y 4.000 euros por gastos y costas.

En esta Sentencia el TEDH se muestra especialmente crítico con la actuación de la policía española, tanto de la Guardia Civil como de la Policía Nacional, recodando tanto las recomendaciones del CPT como las sentencias por casos anteriores:

> 34. *El TEDH recuerda que, cuando un individuo afirma de manera argumentada haber sufrido, de manos de la policía o de otros servicios equiparables del Estado, malos tratos contrarios al artículo 3, esta disposición, combinada con el deber general impuesto al Estado por el artículo 1 del Convenio de "reconocer a toda persona bajo su jurisdicción, los derechos y libertades definidos (...) [en el] Convenio", requiere, implícitamente, que haya una investigación oficial eficaz. Esta investigación, a semejanza de la que resulta del artículo 2, debe poder conducir a la identificación y al castigo de los responsables (ver, en lo que respecta al artículo 2 del Convenio, las sentencias McCann y otros c. Reino Unido, 27 de septiembre de 1995, § 161, serie A n° 324, Dikme c. Turquía, n° 20869/92, § 101, CEDH 2000-VIII, y Beristain Ukar, anteriormente citado, § 28 y Otamendi, anteriormente citado § 38). Si no fuera así, no obstante su importancia fundamental, la prohibición general legal de la tortura y de las penas o tratos inhumanos o degradantes sería ineficaz en la práctica y sería posible, en ciertos casos, que los agentes del Estado, gozando de una cuasi impunidad, pisotearan los derechos de aquellos sujetos a su jurisdicción (Assenov y otros c. Bulgaria, 28 de octubre de 1998, § 102, Recopilación 1998-VIII). (...)*

> 36. *Tratándose de investigaciones llevadas a cabo por las Autoridades nacionales acerca de las alegaciones de malos tratos, el TEDH observa que, el Juez de Instrucción n° 4 de Pamplona pronunció el sobreseimiento provisional del 10 de febrero de 2011 basándose, únicamente, en los informes médicos ni en las copias de las declaraciones hechas por el demandante durante su detención incomunicada, que le han sido suficientes para concluir que las torturas que el demandante imputaba a los agentes de la policía nacional que había participado en el presente caso, no estaban acreditadas, en ausencia de indicios que corroboraran los hechos descritos en su denuncia. Señala no que se hadado curso alguno a las solicitudes del demandante encaminadas*

a que fueran aportadas las grabaciones de las cáma-
ras de seguridad de los locales en los que había estado
detenido, o bien a la identificación y audiencia de los
agentes que le habían interrogado o que habían estado
en contacto con él, o incluso a que le fuera practicado
un reconocimiento médico para establecer la existencia
de lesiones eventuales o secuelas psicológicas.

37. A la luz de los elementos que preceden, el TEDH
estima que la investigación llevada a cabo en el caso
presente no lo han sido con la suficiente profundidad
ni efectividad para cumplir con los anteriormente cita-
dos requisitos exigidos por el artículo 3 del Convenio.
Una investigación eficaz se impone sin embargo con
mayor rigor, máxime cuando, como en el presente caso,
el demandante se encontraba en el período de tiempo
en que se habrían producido los alegados malos tratos,
en una situación de total aislamiento de comunicación
con el exterior, un tal contexto exige un esfuerzo mayor,
por parte de las autoridades internas para establecer los
hechos denunciados. El Tribunal opina que la prácti-
ca los medios de prueba adicionales solicitados por el
demandante, y muy particularmente el consistente en
interrogar a los agentes a cargo de su vigilancia durante
la detención preventiva, hubieran podido contribuir al
esclarecimiento de los hechos, tal como lo exige la juris-
prudencia del Tribunal (apartado 34 anterior).

38. El TEDH insiste, además, sobre la importancia
de adoptar las medidas necesarias recomendadas por el
Comité Europeo para la Prevención de la Tortura y de
las Penas o Tratos inhumanos o Degradantes (CPT) pa-
ra mejorar la calidad del reconocimiento médico foren-
se de las personas sometidas a detención incomunicada
(apartado 23 y siguientes Otamendi, anteriormente
citado). Estima que la situación de vulnerabilidad par-
ticular de las personas detenidas en régimen de incomu-
nicación exige que la Ley de Enjuiciamiento Criminal
prevea medidas de vigilancia adecuadas y que éstas se
apliquen de forma rigurosa con el fin de que se eviten
los abusos y que la integridad física de los detenidos sea
protegida (apartado 25 anterior). El TEDH suscribe las
recomendaciones del CPT, que hizo suyas el Comisario
de Derechos Humanos del Consejo de Europa en su

*informe del 9 de octubre de 2013 (apartado 27 ante-
rior) en lo que atañe tanto a la garantías a asegurar en
este supuesto como al principio mismo, en España, de
la posibilidad de detención de una persona en régimen
de incomunicación.*

4. Asunto Arratibel Garciandía contra España

Muy similar es el caso del Sr. Jon Patxi Arratibel Gar-
ciandia, que fue detenido junto a otras cinco personas el
18 de enero de 2011 por agentes de la Guardia Civil en
el marco de una investigación judicial acerca de un presunto delito de pertenencia a la organización Ekin. Fue
trasladado a la Dirección General de la Guardia Civil
detenido en régimen de incomunicación.

El día 11 de marzo de 2011 presentó denuncia ante el
Juzgado de Guardia de Pamplona, alegando haber sido
sometido a malos tratos. El día 22 de febrero de 2012, la
clínica médico forense de Pamplona y el Juzgado Central
de Instrucción n° 3 de la Audiencia Nacional remitieron
al Juzgado de Instrucción n° 3 de Pamplona el informe de
fecha 18 de enero de 2011 que había sido elaborado por
el médico forense de Pamplona con anterioridad al traslado del demandante a Madrid, así como los informes
de los días 18, 19, 20 y 21 de enero de 2011 elaborados
por el médico forense adscrito a la Audiencia Nacional,
que le había estado reconociendo durante su detención
en régimen de incomunicación.

Mediante Auto de sobreseimiento de fecha 27 de febrero de 2012, el Juzgado de Instrucción núm. 3 de Pamplona consideró, a la vista de los informes de los médicos
forenses acerca del demandante, y de la declaración de
este último por video conferencia, que no había indicios
suficientes que demostraran que los malos tratos denunciados se hubieran infligido realmente. El día 6 de marzo
de 2012 el demandante recurrió. Mediante decisión de

29 de junio de 2012, la Audiencia Provincial de Navarra ratificó el Auto de sobreseimiento de las actuaciones. El día 15 de octubre de 2012 el demandante recurrió en amparo ante el Tribunal Constitucional. Mediante decisión de 6 de marzo de 2013, notificada el día 15 de marzo de 2013, el Alto Tribunal inadmitió el recurso.

Presentada demanda ante el TEDH, en Sentencia de la Sección 3ª de 5 de mayo de 2015 (rec. 58488/2013) el Tribunal vuelve a considerar que la investigación de los Tribunales de Justicia españoles no ha sido suficiente, por lo que entiende que se ha violado el art. 3 de la Convención, si bien no condena a indemnizar porque el reclamante no formuló reclamación de satisfacción equitativa en plazo.

5. Asunto Portu Juanenea y Sarasola Yarzábal contra España

Mucho más enrevesado es el asunto que analiza la Sentencia del TEDH, Sección 3ª, de 13 de febrero de 2018 (proc. 1653/2013), por cuanto discurre por distintas instancias judiciales españolas con diferente interpretación.

El día 6 de enero de 2008 los demandantes fueron arrestados en Mondragón (Guipúzcoa, País Vasco) por miembros del Grupo de Acción Rápida de la Guardia Civil especializado en la lucha contra el terrorismo.

En su denuncia relatan que fueron golpeados en el interior del vehículo policial, y conducidos hasta una pista forestal, que fueron arrojados esposados a la espalda cuesta abajo hasta la orilla de un río, colocándoles una pistola en la sien, les sumergieron la cabeza en el río y les hicieron tragar agua.

A continuación fueron conducidos al cuartel de Intxaurrondo en San Sebastián, donde fueron visitados por dos médicos forenses, siendo el primero derivado al

Hospital Ntra. Sra. De Aránzazu de San Sebastián, donde ingresó en la unidad de cuidados intensivos. El segundo fue puesto en detención preventiva incomunicada.

La versión del Gobierno es que el día 6 de enero de 2008, los demandantes, integrantes de la organización terrorista ETA, sin antecedentes penales, pertenecientes al comando "Elurra", fueron a Mondragón a recoger dos pistolas y 50 cartuchos de munición para ejecutar algún atentado. Una vez llegados, aparcaron los dos vehículos y se dirigieron caminando al lugar que se le había indicado al primer demandante para recoger el material. El segundo demandante se quedó más atrasado para cubrir al primer demandante. Recogió dos paquetes con pistolas y munición, que introdujo en su mochila. De vuelta a proximidad de sus vehículos, los demandantes fueron sorprendidos por un control de la Guardia Civil. El dispositivo se componía de seis vehículos y de quince agentes del Grupo de Acción Rápida, que habían salido del cuartel de Intxaurrondo hacia las 9 horas para una misión de reconocimiento por los alrededores. Los Guardias Civiles dieron el alto a los jóvenes, pidiéndoles la identificación y que abrieran sus mochilas para registrarlas. En ese momento, los jóvenes intentaron escapar. Cayeron al suelo y se produjo un forcejeo. Una vez reducidos, los detenidos fueron esposados e introducidos en uno de los vehículos de la Guardia Civil. Tras pasar por el peaje de autopista de Zarauz entre las 12,07 y las 12,10 h, los coches de la Guardia Civil entraron en el cuartel de Intxaurrondo a las 12,25 h. A su llegada a Intxaurrondo, y en sus primeras declaraciones ante los médicos forenses, los demandantes reconocieron la existencia de un forcejeo en el momento de su detención y no relataron ningún hecho irregular. A partir de la llegada de los interesados al cuartel de Intxaurrondo, los agentes que participaron en la detención dejaron de tener contacto con ellos.

El Juzgado de Instrucción núm. 1 de San Sebastián abrió un procedimiento de investigación por presuntos delitos de tortura contra quince agentes de la Guardia Civil que habían participado en el arresto y la detención de los demandantes. Los guardias civiles que habían participado en la detención de los demandantes declararon que, al haber intentado estos huir, habían recurrido a la fuerza física para capturarlos y reducirlos. Añadieron que habían trasladado a los interesados al cuartel de Intxaurrondo inmediatamente después de su detención. Los demás guardias civiles implicados negaron haber maltratado a los demandantes durante su detención o en los distintos traslados. Los guardias civiles interrogados declararon que no habían detectado ninguna lesión en los cuerpos de los demandantes.

Los médicos forenses del Instituto Vasco de Medicina Legal concluyeron que existían elementos de compatibilidad entre las lesiones apreciadas, en el caso del primer demandante, o algunas de las lesiones advertidas, en el caso del segundo demandante, y la manera en las que éstas se habrían producido según las declaraciones de los interesados. Estimaron en cambio que las declaraciones de los agentes de la Guardia Civil encausados eran incompatibles con la manera en la que dichas lesiones se habrían producido, aclarando sin embargo que algunas de las lesiones del segundo demandante, las de menor importancia, habían podido producirse de acuerdo con la descripción que hicieron lo guardias civiles de las circunstancias de la detención.

Se abrió juicio oral ante la Audiencia Provincial de Guipúzcoa contra los 15 agentes de la Guardia Civil encausados. La vista se desarrolló los días 25, 26, 27 y 28 de octubre de 2010. Los acusados fueron interrogados, excepto tres de ellos que fueron posteriormente absueltos. Confirmaron en sustancia las declaraciones que realizaron en la fase de instrucción, especialmente en lo que atañía a las circunstancias violentas de la detención de ambos demandantes, el uso de la fuerza física y principalmente el recurso a la técnica policial de "luxación" para capturarlos y reducirlos. Ambos demandantes reiteraron sustancialmente las declaraciones que habían realizado en la fase de instrucción, especialmente en lo que atañía a las alegaciones de torturas. Declararon además que no habían denunciado todas las torturas de las que habían sido víctimas, según ellos, a los médicos forenses que les habían reconocido el día 7 de enero de 2008 porque habían sido amenazados por los guardias civiles encausados. Varios testigos fueron oídos en las audiencias públicas. Una enfermera en el hospital de San Sebastián, de guardia cuando el primer demandante fue ingresado en la noche del 6 al 7 de enero de 2008, declaró que los calcetines que éste llevaba estaban empapados y que, cuando le preguntó el por qué, éste había contestado: "me han metido en un río". El alcalde de Aramaio, ciudad cercana a Mondragón, señaló que, durante la jornada del 6 de enero de 2008, recibió varias llamadas telefónicas de vecinos de su municipio, según las cuales la Guardia Civil había cerrado el acceso a una pista forestal durante tres horas. Esta pista se encontraba cerca de un pequeño río al que se accedía bajando dos pendientes.

La Audiencia Provincial oyó también a dos agentes de la Guardia Civil autores de un informe sobre la estrategia de ETA consistente en presentar falsas denuncias por torturas contra agentes del Estado español, informe que hacía especial referencia a un documento intervenido al jefe militar de ETA detenido en Francia con posterioridad a los sucesos, que mencionaba la detención del primer demandante y las "falsas torturas sufridas por [este último] en manos del enemigo".

Mediante sentencia de 30 de diciembre de 2010, la Audiencia Provincial de Guipúzcoa condenó al sargento a una pena de cuatro años de prisión por dos delitos de graves torturas, a una pena de seis meses de prisión por un delito de lesiones y a ocho días de localización permanente por una falta de lesiones. Condenó a un guardia a una pena de dos años de prisión por un delito de torturas graves y a una pena de seis meses de prisión por un delito de lesiones. Por último, condenó a dos guardias a penas de dos años de prisión por un delito de torturas graves y a ocho días de localización permanente por una falta de lesiones. Fueron igualmente condenados a pagar 18 000 euros al primer demandante y 6 000 euros al segundo demandante en concepto de daños y perjuicios. Los otros once agentes de la Guardia Civil que formaban parte del dispositivo de detención en cuestión fueron absueltos.

Los cuatro guardias civiles, la Fiscalía y los demandantes recurrieron en casación. Mediante dos sentencias del 2 de noviembre de 2011, el Tribunal Supremo casó y revocó la sentencia recurrida, absolvió a los cuatro guardias civiles condenados anteriormente, con base en una modificación parcial de los hechos declarados probados por la sentencia *a quo*, y considerando superfluo examinar los demás aspectos del recurso. Consideró que los siguientes elementos no habían sido probados: las circunstancias –no violentas – de la detención de los dos demandantes descritas en la Sentencia de la Audiencia Provincial, el paso por la pista forestal y los sucesos que se habrían producido en ese lugar, y el hecho de que las lesiones descritas eran a resultas de las causas invocadas en la sentencia a quo.

Al examinar el expediente judicial, el Tribunal Supremo puso en duda, entre otras cosas, la hora de la detención, el paso por la pista forestal y los hechos que se habrían producido en ese lugar, la alegada ausencia de oposición de los demandantes a su detención y la veracidad de los testimonios recogidos en el expediente, en razón de las contradicciones e imprecisiones existentes, según él, en sus declaraciones y debido a que uno de los testigos, la enfermera, habría telefoneado a los padres del primer demandante tan pronto como este último ingresó en el hospital, y que otros dos testigos tenían o tendrían vínculos más o menos estrechos con ETA.

Por otra parte el Tribunal Supremo cotejó los hechos declarados probados, por un lado por la Sentencia de la Audiencia Nacional del 21 de mayo de 2010 (párrafo 52 posterior), que adquirió carácter de firmeza en ausencia de recurso de casación, según los cuales las lesiones de los demandantes eran consecuencia de la violencia de su detención (habida cuenta de las declaraciones del segundo demandante, del informe de la Guardia Civil y del documento intervenido al jefe militar de la organización terrorista ETA, según el cual las denuncias por torturas de los demandantes serían falsas) y, por otro lado, por la Sentencia de la Audiencia Provincial de Guipúzcoa recurrida, que reflejaban la misma situación de dos maneras distintas y contradictorias. El Tribunal Supremo consideró en su Sentencia que la jurisdicción *a quo* del presente caso habría debido explicar más detalladamente las discordancias de las dos sentencias sobre los mismos aspectos, lo que aquélla no hizo.

Los demandantes interpusieron un recurso de nulidad de actuaciones contra la sentencia de casación ante el Tribunal Supremo, invocando el artículo 24. 1 y 2 de la Constitución que garantiza el derecho a la tutela judicial efectiva y el derecho a un juicio con todas las garantías, así como el artículo 6.1 del Convenio Europeo de Derechos Humanos. Mediante Auto de 19 de enero de 2012, el Tribunal Supremo desestimó este recurso.

Los demandantes recurrieron entonces en amparo ante el Tribunal Constitucional fundándose en el artículo 24. 1 y 2 de la Constitución. Alegaban que el Tribunal se había excedido en sus competencias al proceder a una nueva valoración de los hechos y de las pruebas examinadas en la vista ante la Audiencia Provincial de Guipúzcoa. Invocaron igualmente el artículo 6.1 del Convenio Europeo. Mediante Auto de 2 de julio de 2012, notificado el 11 de julio de 2012, el Alto Tribunal inadmitió el recurso en razón de la manifiesta inexistencia de vulneración de un derecho fundamental susceptible de ser protegido mediante un procedimiento de amparo.

Paralelamente mediante Sentencia de 21 de mayo de 2010 dictada por la Audiencia Nacional, los demandantes fueron condenados por un delito de estragos, dos delitos de asesinato terrorista y cuarenta y ocho asesinatos terroristas en grado de tentativa como autores del atentado de la terminal 4 del aeropuerto de Madrid-Barajas de fecha 30 de diciembre de 2006. La Audiencia Nacional consideró que las lesiones sufridas por los demandantes en su detención, el día 6 de enero de 2008, eran compatibles con las circunstancias violentas de la misma, en la medida en que los demandantes habían intentado huir y en que los agentes tuvieron que recurrir a la fuerza física para reducirlos. Para ello se basó en las declaraciones del 7 enero 2008 del segundo demandante a los médicos forenses de San Sebastián y de Madrid (párrafos 18 y 22 anteriores), así como en los distintos informes de los médicos forenses obrantes en el expediente de la instrucción, que no incluían los informes del Instituto Vasco de Medicina Legal aportados al procedimiento litigioso en el presente caso.

Mediante Sentencia de 1 de junio de 2010, la Audiencia Nacional condenó también a los demandantes a unas penas de prisión por delitos de pertenencia a organización terrorista y tenencia de armas.

El pronunciamiento del TEDH no difiere de los casos anteriormente analizados, en el sentido de considera que los Tribunales españoles no han investigado los hechos lo suficiente. Así, el TEDH entiende que el Tribunal Supremo se ha limitado en su sentencia de casación a apartar la versión de los demandantes sin por ello intentar determinar si el recurso a la fuerza física por parte de los agentes de la Guardia Civil en la detención de los demandantes había sido estrictamente necesario y proporcionado o si las lesiones más graves sufridas posteriormente por el primer demandante –de acuerdo con la determinación de los hechos del Tribunal Supremo– eran imputables a los agentes encargados de la detención y de la custodia del mismo. Estas omisiones han impedido a la jurisdicción nacional determinar los hechos y el conjunto de las circunstancias en la mayor medida posible que se podía hacer, de conformidad con la obligación de someter el caso que se le presenta al examen escrupuloso que requiere el artículo 3 del Convenio.

En consecuencia considera que se ha producido violación del art. 3 en sus aspectos material y procesal por haber infligido un trato inhumano y degradante a los dos demandantes, al tiempo que condena al Estado español a abonar 30.000 y 20.000 euros a cada uno de ellos, respectivamente. Esta Sentencia contiene un voto particular firmado por tres jueces que van más allá del parecer mayoritario y consideran que los hechos son constitutivos de tortura y no de trato inhumano o degradante, mostrándose partidarios de una indemnización mayor, que no llegan a cuantificar.

D. *Uso de la fuerza y libertad de expresión*

Una institución necesitada de urgente revisión y análisis en España es la libertad de expresión, cuya interpretación jurisprudencial en muchos casos se ha alejado preocupantemente del sentido común.

En sede del TEDH no podemos dejar de mencionar la Sentencia de 20 de noviembre de 2018, que condena a España a indemnizar con 8.225 euros al okupa Agustín Toranzo por vulneración de su derecho a la libertad de expresión al haber denunciado el uso de la fuerza de las FCS durante un desalojo.

El 30 de noviembre de 2007 agentes de Policía Nacional, en cumplimiento de una orden judicial, proceden a desalojar el Centro Social Casas Viejas de Sevilla. El Sr. Toranzo se hallaba fijado al suelo, con sus brazos introducidos en unos tubos que se encontraban anclados en el suelo. Por razones obvias el desalojo, en el que participaron efectivos policiales y bomberos, tuvo que hacer acopio de la fuerza.

El Sr. Toranzo denunció en rueda de prensa ante los medios torturas producidas con ocasión del desalojo y fue condenado por ello por un delito de difamación por el Juzgado de lo Penal núm. 13 de Sevilla, a multa de 10 euros diarios durante veinte meses y a indemnizar a los dos policías con 1.200 euros. En apelación la Audiencia Provincial redujo la multa impuesta a 10 euros diarios durante doce meses y confirmó el resto del fallo. Ambas instancias establecieron que las acciones policiales fueron proporcionadas y que no alcanzaron el grado de tortura, de manera que la acusación del Sr. Toranzo fue falsa.

En cambio la Sección Tercera del TEDH entiende que los Tribunales españoles se han excedido en su condena porque no han ponderado la libertad de expresión del Sr. Toranzo. La Sentencia considera que el término torturas utilizado por el reclamante era meramente coloquial y que por ello se halla bajo la cobertura del derecho fundamental de la libertad de expresión. Por ello califica la condena de los Tribunales españoles como una sanción que puede tener un "efecto escalofriante" en la libertad de expresión.

2. TRIBUNAL SUPREMO DE ESPAÑA

En nuestro país el Tribunal Supremo se ha pronunciado sobre el uso de la fuerza fundamentalmente desde una perspectiva penal. En el ámbito contencioso ha interesado el uso de la fuerza en materia de responsabilidad patrimonial y disciplinaria de los agentes, como hemos anticipado, para concluir esencialmente:

a. El empleo de la fuerza sólo procede en circunstancias que hagan presumir racionalmente una situación de peligro o riesgo real para los agentes o terceras personas.

b. Que esa situación de peligro o de riesgo sólo sea superable mediante la utilización de la fuerza.

c. Que el uso de la fuerza se haga de forma adecuada para evitar consecuencias irreparables, de acuerdo con los principios de congruencia, oportunidad y proporcionalidad.

No obstante lo anterior, debemos admitir que estas consideraciones teóricas son extremadamente difíciles de aplicar en un contexto de alborotos callejeros, con agresiones a los agentes. Dicho de otra forma, se requiere de los efectivos policiales un juicio de razonabilidad muy difícil de elaborar cuando se vive en tiempo real el lanzamiento de objetos o el uso de armas con el único fin de atentar contra su integridad física, cuando no de acabar abiertamente con su vida[132].

Por último, debe recordarse que la doctrina jurisprudencial sobre esta materia corresponde prácticamente en su totalidad al orden penal, siendo así que las sentencias de la Sala Tercera del Tribunal Supremo en materia de práctica de la detención sólo se refieren a la denegación de rehabilitación y a sanciones disciplinarias.

---

[132] CANO CAMPOS, T. <<Prevenir y cachear: los registros corporales externos>> en IZQUIERDO CARRASCO, M. y ALARCÓN SOTOMAYOR, L. (Dirs.) *Estudios sobre la ley orgánica de seguridad ciudadana.* Aranzadi. Cizur Menor, 2019. Págs. 677 a 708.

A. *Detención ilegal vs invitación a trasladarse a dependencias policiales para tomar declaración*

Un asunto que genera lógica inquietud entre los miembros de las FCS es el de la detención ilegal, que —al tiempo que contraviene un derecho fundamental (art. 17 CE)— integra el tipo penal del art. 167 CP.

Decimos esto porque con frecuencia la personación de un efectivo policial al lugar de los hechos no le permite tener un conocimiento exacto de los sucedido, y necesita escuchar con serenidad y detenimiento las versiones de los implicados y de algún testigo; o bien, porque no dispone de medios para tomar declaración in situ. Lo cierto y verdad es que se solicita a los implicados en un acto supuestamente delictivo a que acompañen a los agentes hasta dependencias policiales a fin de esclarecer los hechos y decidir si se toma declaración como investigado o no.

La pregunta obligada es la siguiente: ¿es esta invitación una detención? Formalmente no, porque a estas personas no se las lleva esposadas. Pero, ¿puede el afectado denunciar al efectivo policial por detención ilegal? Ahí radica el problema de seguridad jurídica que invade al efectivo policial y para lo cual el ordenamiento no da una respuesta clara.

En efecto el agente se ampara en el art. 4.1 LOFCS, según el cual "todos tienen el deber de prestar a las Fuerzas y Cuerpos de Seguridad el auxilio necesario en la investigación y persecución de los delitos en los términos previstos legalmente". Sin embargo, no es menos cierto que a estas personas se les priva de libertad y que no existe causa de detener prevista en el art. 492.4 LECrim. Como no es menos cierto que el consentimiento que prestan tales personas es más que relativo[133].

---

[133]   JAREÑO LEAL, A. <<La discutible legitimidad de la "invitación" a trasladarse a dependencias policiales realizada al sospechoso de delito>> *El Cronista del Estado Social y Democrático*

Una vez más el efectivo policial se halla desamparado ante una situación muy habitual en su actividad diaria, en la que se juega una condena penal, y cuando la jurisprudencia tampoco contribuye a esclarecer la situación. Así, el Tribunal Constitucional en Sentencia 341/1993 entiende que "una privación de libertad no deja de serlo por el mero hecho de que el aceptado la acepte", y en Sentencia 98/1986, de 10 de julio, que "no existen zonas intermedias entre detención y libertad". En cambio el Tribunal Supremo en Sentencia de 21 de julio de 2001 considera que esta invitación a trasladarse a dependencias policiales no integra el tipo de la detención ilegal porque existe voluntad del ciudadano.

Este es el caso, a modo de ejemplo, de la Sentencia del Tribunal Supremo, Sala Segunda, de lo Penal, 726/2001 de 28 de abril de 2001 (rec. 1407/1999), que condena a tres agentes de policía como autores penalmente responsables de seis delitos de detención ilegal a las penas, a cada uno de esos acusados, de un año de suspensión por cada uno de los delitos, y a que indemnicen conjunta y solidariamente en mil dos cientos euros a cada uno de los seis detenidos.

Los hechos consistían en que de madrugada una dotación de la brigada municipal de limpieza del Ayuntamiento de Madrid regó a una familia de músicos callejeros en la Puerta del Sol. Se produjo el consiguiente altercado entre ambos grupos y un furgón de la Policía Nacional detuvo a los integrantes de la banda de músicos y los trasladó a Comisaría. Sin perjuicio de otras cuestiones por las que estos y otros agentes fueron condenados[134], el

---

de Derecho núm. 75. Mayo 2018. Págs. 16 a 21. Vid. de la misma autora <<La detención ilegal cometida por funcionario público: tipos delictivos y criterios para su aplicación>> Revista General de Derecho Penal núm. 27. 2017.

[134] En Comisaría uno de los policías apreció que le había desaparecido el reloj de pulsera y, con ayuda de otro efectivo, interrogó al cabecilla de los músicos y le golpeó para que confesara e hiciera

Tribunal considera que no se llevó a cabo la más mínima indagación respecto al incidente acaecido, que no se motivó la medida y que en esencia constituye una manifiesta arbitrariedad.

Por otro lado la Sentencia del Tribunal Supremo, Sala Segunda, de lo Penal, 197/2009 de 3 de marzo de 2009 (rec. 454/2008) condena a un agente de la Guardia Urbana de Badalona como autor de un delito de detención ilegal, sin la concurrencia de circunstancias modificativas de la responsabilidad criminal, a las penas de cuatro meses y quince días de multa, con una cuota diaria de veinte euros, y responsabilidad personal subsidiaria de un día de privación de libertad por cada dos cuotas impagadas, y ocho años de inhabilitación absoluta.

Los hechos son muy sencillos (y habituales): un agente municipal solicita al conductor de un ciclomotor sin casco que estacione su vehículo y se identifique. Este último se niega a hacerlo e increpa al agente; el policía le dice que deberá trasladarse a comisaría a identificarse y el ciudadano se arrodilla con los brazos en cruz diciendo que se le detiene por una infracción de tráfico. El Tribunal Supremo no encuentra proporción en la detención:

> *la detención [no] puede considerarse, de acuerdo con lo que el recurrente sostiene, como correctamente fundada y llevada a cabo, a la vista de la evidente desproporción que revela ese relato de los hechos, en el que no se recoge elemento alguno que pueda legalmente justificar, a partir de una simple discusión entre el policía y el conductor del ciclomotor acerca de una supuesta infracción de tráfico, la necesidad de privar a éste de libertad (art. 167 CP).*

En cualquier caso estos ejemplos ponen de relieve en toda su extensión la delgada línea roja que separa una

---

aparecer el reloj. Los agentes fueron condenados por delito de torturas.

práctica habitual de la policía (trasladar a dependencias policiales a un ciudadano implicado en un delito, o bien para identificarse) y el tipo penal de la detención ilegal.

B. *Reducción y/o detención, y torturas*

El uso de la fuerza por parte de efectivos policiales se halla cerca de los tipos penales de la tortura o de las lesiones. No existe un término intermedio entre la correcta utilización de la fuerza y el delito: o la fuerza es proporcionada y se halla justificada, o por el contrario el efectivo policial incurre en responsabilidad penal.

El problema en este punto al que se enfrenta el efectivo policial consiste en cómo proceder para conseguir detener a un ciudadano. No son pocos los casos en que este último emprende una huida o bien opone una resistencia feroz, que exige que el agente haga uso de la fuerza. En estos casos el agente vuelve a hallarse muy próximo a la responsabilidad penal, porque en el curso de un enfrentamiento o una huida que va causando accidentes a terceras personas (choques con un vehículo, circular en sentido contrario...) resulta harto complejo delimitar con precisión matemática la proporcionalidad. Veamos dos ejemplos.

1. Caso Roquetas de Mar

Un asunto que no puede dejar de analizarse en España es el *caso Roquetas*: un ciudadano de gran corpulencia se presenta en el acuartelamiento de la Guardia Civil de Roquetas de Mar (Almería) en 2005 en estado de excitación porque había roto un retrovisor con su vehículo y era perseguido por los ocupantes y familiares del otro vehículo. El ciudadano que pedía auxilio tenía gran corpulencia y se hallaba bajo los efectos de sustancias estupefacientes. Alcanzó tal grado de violencia que —no

sin antes causar lesiones a varios agentes— tuvo que ser
reducido por hasta siete efectivos; el Teniente del puesto
utilizó una defensa eléctrica y otra extensible no reglamentaria. La reducción del individuo en cuestión duró
casi una hora. Los agentes soportaron golpes y patadas
de un hombre de 1'86 metros de altura, 107'5 kilos de
peso y una masa corporal de 31. El teniente le propinó
golpes con la defensa extensible y descargas eléctricas, y
—no siendo suficientes cuatro agentes encima de él, porque braceaba y daba patadas— se ejerció presión sobre
su pecho con una defensa reglamentaria. Se le consiguió
inmovilizar con esposas en las muñecas y cinta en los
tobillos. El resultado es que el ciudadano falleció de una
parada cardio respiratoria.

La Audiencia Provincial de Almería en Sentencia de
27 de abril de 2007 condenó a los agentes a faltas de
lesiones y al teniente, además, a un delito de atentado
contra la integridad moral. El Tribunal Supremo en Sentencia de la Sala Segunda 891/2008 de 11 Dic. 2008 (rec.
1419/2007) absolvió al teniente del delito de atentado y
sin embargo le condenó como autor responsable de un
delito de imprudencia grave con resultado de muerte.

Entiende el Tribunal, no sin antes valorar la dificultad
de la actuación policial, que se produjo un exceso en la
aplicación de la fuerza:

> *Esta Sala es consciente de la difícil encrucijada que*
> *tuvieron que afrontar los recurrentes, ante una persona*
> *de tal envergadura, afecta a una grave agitación y que*
> *desarrollaba una violencia extrema, con riesgo propio*
> *y de terceros, y que los miembros de la Benemérita tra-*
> *taron de controlar, reduciendo y deteniendo al sujeto*
> *en cumplimiento de las obligaciones legales y que en*
> *tal cometido actuaron «en términos generales» con la*
> *proporcionalidad exigida. Pero ese propósito general*
> *no puede encubrir ni amparar los excesos y extralimi-*
> *taciones que conscientemente puedan llevar a cabo las*

*fuerzas de seguridad, con actuaciones dolosas no diri-
gidas a la finalidad justificativa que podía ampararlas.*

El Tribunal Supremo ha condenado a agentes por disparar a delincuentes que estaban cometiendo un delito y
no obedecieron las órdenes de detenerse. Así, en Sentencia 258/2016, de 1 de abril de 2016 (rec. 1031/2015) el
Tribunal Supremo considera a dos agentes de la policía
local que, después de perseguir desde Getafe hasta Madrid a un vehículo cuyos ocupantes habían secuestrado
a un ciudadano, arrollando diferentes vehículos y viandantes, en las inmediaciones de la Glorieta de Atocha
efectuaron varios disparos alcanzando con resultado de
muerte a los ocupantes. Se condena a los autores de los
disparos como responsables de un delito doloso de homicidio, fundamentado en la dirección y reiteración de
los disparos.

2. Caso persecución en Sevilla

No muy distinto es el caso de la Sentencia de 13 de
mayo de 1996 (rec. 2433/1994), que condena por homicidio a un policía local de Sevilla que, después de una alo-
cada carrera de un vehículo que embistió a otros agentes
y a particulares, efectuó un disparo al conductor alcan-
zándole la cabeza. El agente, policía municipal de Sevilla,
es condenado como autor de un delito de homicidio a
seis meses y un día de prisión menor, al aplicarse de forma incompleta la eximente de cumplimiento de un deber
(art. 8.11 CP 1973), y a indemnizar al hijo del fallecido,
de nueve años de edad, con 8 millones de ptas. El homicidio se produce después de una accidentada persecución
policial por Sevilla durante la cual los fugados, que han
robado el coche que conducen, causan daños de diversa
consideración a diferentes policías que participaban en la
persecución y también a terceras personas. El policía municipal, después de haber sufrido un accidente y siendo el

único agente que continuaba la persecución, al advertir que el delincuente que conducía el vehículo intenta reanudar la huida, después de haber sufrido también un accidente, siente la obligación de impedir la reanudación de una persecución muy peligrosa, le apunta y le dispara un tiro con su revólver reglamentario, causándole la muerte.

En cambio, diametralmente opuesto es el caso de las lanchas de la Armada que —ante un acto de abordaje por activistas de Greenpeace a un buque que realizaba prospecciones petrolíferas en zona marítima de exclusión— y después de intentar bloquear el paso a las embarcaciones neumáticas de la ONG, impactaron contra la lancha que actuaba de barrera para permitir que otra efectuara el abordaje. Como resultado varios activistas cayeron al mar y sufrieron lesiones. El Juzgado Central de Instrucción 5, mediante Auto de 16 de febrero de 2016 (rec. 121/2014) acordó el sobreseimiento libre de la causa alegando que la Armada empleó la fuerza mínima imprescindible y que el propósito de los querellantes de asaltar el buque les colocó en una situación peligrosa que asumieron voluntariamente, aceptando un daño eventual.

C. *Interrogatorio y torturas*

Pese a lo que pudiera parecer en una primera aproximación, la tortura no sólo supone la comisión de un atentado físico, sino también moral. De ahí que en el caso de interrogatorios, con el fin de arrancar una confesión de un supuesto delincuente, las formas utilizadas por las FCS puedan integrar el tipo penal de la tortura.

En este sentido la Sentencia del Tribunal Supremo 701/2001, de 23 de abril de 2001, afirma que comete tortura la autoridad o funcionario público que abusando de su cargo y con el fin de obtener una confesión o información de cualquier persona o de castigarla por cualquier hecho que hubiera cometido o se sospeche que ha cometido... la sometiere a condiciones o procedimientos que por su naturaleza, duración u otras circunstancias, le supongan sufrimientos físicos o mentales, la supresión o disminución de las facultades de conocimiento, discernimiento o decisión, o que de cualquier otro modo atenten contra su integridad moral.

La conclusión de todo lo anterior no es otra que la constatación de la delicada tarea que llevan a cabo las FCS, cuya actuación —netamente administrativa— se halla muy próxima al derecho penal, y en la que la regulación de su función descansa exclusivamente en principios generales muy difíciles de ponderar en un momento concreto de desórdenes y alborotos.

En este sentido el agente policial se halla entre el derecho penal y el régimen disciplinario: o deja de ejercer su función (no identifica al autor de un presunto delito, permite su huida...) o bien se expone a cometer un delito de detención ilegal, torturas... porque la franja intermedia, la de llevar a cabo sus funciones con normalidad, resulta estadísticamente infrecuente.

D. Cumplimiento de un deber: los sucesos de 1 de octubre de 2017 en Cataluña

El uso de las fuerza por parte de las FCS ha tenido especial proyección mediática con ocasión de la celebración de votaciones el 1 de octubre de 2017 en Cataluña con vocación rupturista de la integridad territorial de España.

La intervención de las FCS vino dada por el Auto del Tribunal Superior de Justicia de Cataluña de 26 de septiembre de 2017, que decía expresamente:

> *Se acuerda Ordenar a los Mossos D'Esquadra, Guardia Civil y Policía Nacional lo siguiente:*

Impedir, hasta el 1 de octubre, la utilización de locales o edificios públicos o de aquellos en los que se preste cualquier tipo de servicio público para la celebración del referéndum.

En esa fecha, se impedirá su apertura, procediéndose, en su caso, al cierre de todos aquellos que hubieran llegado a aperturarse.

En el caso de que los actos de preparación del referéndum o los de votación el 1 de octubre, tuvieran lugar en edificios con instalaciones compartidas de servicios públicos en funcionamiento ese día o en fechas anteriores, se procederá únicamente al cierre de aquellas dependencias en las que se hicieran actos de preparación o fuera a celebrarse la votación el día 1, cuidando de que no se vea afectado el resto de dependencias en las que se deban seguir prestando los servicios que les sean propios.

Requisar todo el material relacionado con el referéndum que, en su caso, estuviera en disposición de introducirse o fuere hallado dentro de dichos locales o edificios, incluyendo los ordenadores que constituyan el objeto o instrumento de los delitos que se investigan.

Asimismo, se impedirá la actividad y/o apertura de establecimientos públicos que se utilicen como infraestructura logística y/o de cálculo: centro de procesamiento, de recepción de recuento o de gestión de votos.

Mossos D'Esquadra, Guardia Civil y Policía Nacional, deberá actuar conjuntamente para la efectividad de lo ordenado, prestándose en todo momento el auxilio y apoyo necesario que haga posible el estricto cumplimiento de lo que aquí se dispone (...).

En consecuencia, y en una primera aproximación, puede apreciarse que la intervención de las FCS se realizaba en cumplimiento de un deber ordenado judicialmente por el TSJ.

Una imagen, lamentable, de esa jornada, entre muchas, es la de un agente de la Guardia Civil accediendo con todo tipo de dificultades a un colegio electoral y ser abatido por una silla que voló contra su persona. Esta imagen corresponde al cumplimiento del deber judicial de acceder al Instituto de Enseñanza Secundaria de Sant Joan de Vilatorrada, donde se estaba celebran la votación, para requisar las urnas. La Guardia Civil intentó acceder al local por varios lugares y en diferentes ocasiones, topándose con la resistencia activa de ciudadanos. De las cargas policiales resultaron heridas catorce personas, que formularon querella ante el Juzgado de Instrucción núm. 2 de Manresa (diligencias previas 573/2017).

En el seno de este procedimiento la defensa de los querellantes solicitó, entre otras pruebas, la identificación de los agentes que efectuaron la actuación policial y la declaración de un Teniente como investigado. Por Auto de 30 de abril el Juzgado dispuso no haber lugar a acordar las diligencias solicitadas. El Ministerio Fiscal y la representación procesal de los querellantes formularon recursos de reforma y subsidiario de apelación, a los que se adhirió el Letrado de la generalidad de Cataluña y fue impugnado por el Abogado del Estado. En fecha 28 de junio de 2018 el Juzgado dictó Auto por el que dispuso desestimar los recursos formulados y admitir a trámite los recursos de apelación formulados subsidiariamente.

La Sección Quinta de la Audiencia Provincial de Barcelona, en el rollo de apelación 645/2018, dictó Auto de 26 de octubre de 2018 en virtud del cual estimó los recursos de apelación, considerando en su argumentación que el uso de la fuerza por la Guardia Civil no superaba el juicio de necesidad y proporcionalidad de la actuación policial:

> *1. No parece que la actuación policial se iniciara mediando la obligada información, aviso y requerimiento a los congregados a la entrada del edificio, aunque pudiera resultar evidente el motivo y finalidad de su presencia.*

2. *En caso de que a pesar de esa información, aviso o requerimiento se hubieran realizado y los ciudadanos congregados no hubiera facilitado la entrada —lo que desde luego era probable—, la utilización de la fuerza hubieran sido necesaria para lograr el objetivo persegui-do que era requisar todo el material relacionado con el referéndum, con lo que lógicamente se impedía que las votaciones se siguieran desarrollando, y que los votos emitidos anteriormente no pudieran ser contabilizados. No se pretendió el cierre del local de votación, pues el dispositivo policial abandonó el lugar seguidamente.*

3. *De las imágenes visualizadas, resulta provisional-mente que:*

Para alcanzar la puerta de entrada acristalada del edifcio, al no poderlo realizar un primer dispositivo policial por la rampa derecha (mirando desde la vía pública), un segundo dispositivo policial se dirigió a la rampa izquierda y una vez en ella sus miembros inme-diatamente corrieron hasta llegar frente a la referida puerta donde se hallaban concentrados un grupo de ciudadanos —que con su presencia impedían acceder a la puerta— y sin solución de continuidad, sin aviso ni requerimiento alguno, y sin intentar apartarlos de delante de la puerta, ya fuera cogiéndolos y/o arrastrán-dolos, de forma sorpresiva les golpearon con las porras y defensas con lo que lograron que salieran de allí para no seguir siendo golpeados y lesionados. Seguidamente procedieron a romper con un mazo los cristales de la puerta para entrar en el edificio.

4. *El primer agente que entró en el edificio sufrió ya en el vestíbulo interior el impacto de una silla lanzada desde lejos por un ciudadano, lo que provocó su caída al suelo en que se hallaban los restos de cristales fractu-rados. El Ministerio Fiscal considera, con buen criterio, que este episodio podría ser constitutivo de un delito de atentado a agente de la autoridad.*

5. *Además de lo anteriormente consignado debe también señalarse que en las grabaciones se observan, en apariencia, concretos usos excesivos de las porras o defensas golpeando a ciudadanos sin mediar agresión física previa.*

Estas consideraciones conducen a la Audiencia Provincial, por mayoría de votos, a estimar los recursos, entendiendo procedente la práctica de todas las diligencias interesadas, al tiempo que formula una serie de consideraciones en torno a la fuerza utilizada:

> *Si bien para lograr entrar en el edificio —para requisar el material de referéndum y así impedir que se siguiera votando— era necesario el empleo de la fuerza, en caso de que advertiros los ciudadanos congregados —que en principio no lo fueron— se mantuvieran en su actitud renuente a que entrara la fuerza pública, no consideramos que fuera necesario golpear con porras y defensas de forma inopinada y sorpresiva a aquéllos que estaban en el exterior junto a la puerta de entrada para impedir que los agentes se introdujeran en el edificio, lo que produjo lesiones a estos ciudadanos, lo que se pueden observar en las propias grabaciones videográficas. Se hubiera podido conseguir el mismo resultado, aunque para ello se hubiera requerido de más tiempo, sacando a los congregados por la fuerza: agarrándolos y arrastrándolos. Así pues consideramos que se produjo un exceso en la actuación policial con causación de lesiones que seguramente no se hubieran producido de actuar de otra forma.*
>
> *También, de forma provisional, consideramos que hubo excesos policiales en algunos casos concretos, como ya hemos dicho, uso de porras o defensas golpeando a ciudadanos también sin mediar agresión física previa, y sin finalidad aparente.*
>
> *Desde la vertiente de la proporcionalidad ya definida: si los intereses/bienes jurídicos que se van a lesionar guardan proporción con los que se trata de salvaguardar con la actuación policial, también debemos concluir que no existió esa proporcionalidad. En efecto, ante la presencia en la entrada del IES de numerosos ciudadanos que querían que la votación siguiera desarrollándose, los mandos policiales deberían haber valorado que, para lograr su objetivo, era altamente probable lesionar a algunos de ellos, como así fue en número*

de 14 lesionados, y además con un posible deterioro de la imagen de las instituciones.

Impedir que se siguiera votando en el IES suponía la afirmación de la efectividad de la norma y el cumplimiento de las órdenes judiciales, pero de continuar esa votación, el resultado de la misma no hubiera tenido las consecuencias jurídicas pretendidas por los organizadores, por ser antijurídica de acuerdo con el ordenamiento jurídico constitucional español, lo que desde luego era sabido por la fuerza actuante. Nótese que en otros lugares de Cataluña no hubieron actuaciones policiales, las votaciones se realizaron, y se suministraron resultados, sin consecuencia jurídica alguna.

Este Auto, como hemos adelantado, cuenta con un voto particular discrepante, que subraya que los agentes de la Guardia Civil actuaron en el marco de las órdenes recibidas, que los ciudadanos empujaban a los agentes haciéndoles retroceder y perdiendo posiciones, y que en definitiva

la policía no tuvo otro modo de acceder al lugar que el empleo de la concreta violencia ejercida (el grupo de personas que allí se encontraba se opuso activamente a la actuación policial haciéndoles retroceder y no se encontraban sentados o tumbados en el suelo de manera que fuera viable otro modo de proceder), que fue mínima atendiendo a los resultados lesivos producidos. Desde esta perspectiva, concurren indicios de que los agentes actuaron amparados por la causa de justificación de cumplimiento de un deber recogida en el art. 20.7ª CP (tal y como se justifica en la resolución recurrida).

VI. NUEVAS NECESIDADES DEL USO DE LA FUERZA

1. OCUPACIÓN DE VIVIENDAS

A. *Ocupación y uso de la fuerza*

Un caso verdaderamente grotesco que se sucede a diario en nuestro país es el denominado movimiento *okupa*, que consiste en la entrada y residencia en viviendas vacías al margen de cualquier título habilitante, con una "vandalización" del inmueble, emisión de ruidos, generación y acumulación de residuos, así como defraudación de fluido eléctrico o agua potable, entre otras lindezas.

Esta situación se ha extendido desde el momento en que las entidades bancarias, como consecuencia de ejecuciones hipotecarias, son propietarias de numerosos inmuebles que se encuentran desocupados[135].

Casos mediáticos como la Corrala Utopía de Sevilla, el desalojo de los trabajadores de Canal 9 en Valencia, el inmueble Can Vies en Barcelona (que estuvo ocupado durante nada menos que diecisiete años), La Madreña en Oviedo, el Patio Maravillas en Madrid... son sólo anécdotas frente al elevado número de inmuebles ocupados en nuestro país[136].

---

[135] En el último año las denuncias por ocupación de viviendas se han incrementado en un 92% en España, habiendo pasado el número de sentencias condenatorias por el delito de usurpación entre 2008 y 2015 de 488 a 2378.

[136] IBARRA SÁNCHEZ, J. L. <<Práctica procesal y bien jurídico protegido del delito de usurpación inmobiliaria del artículo 245.2 del Código Penal, tras la Ley Orgánica 1/2015, de 30 de marzo>> *Revista Aranzadi Doctrinal* núm. 5/2015. Aranzadi.

Jurídicamente la ocupación plantea todo tipo de problemas. Para empezar, su encuadre entre el derecho penal y el civil, porque no son pocas las denuncias en un Juzgado de guardia que se archivan por considerar que el asunto pertenece al orden civil a través de un desahucio por precario[137]. No está de más recordar que la jurisprudencia mayoritaria excluye de protección penal a los inmuebles ocupados que no están en condiciones de ser habitados[138].

En sede doctrinal se ha propuesto la opción de la vía penal por un delito de usurpación del art. 245.2 CP interesando medida cautelar de expulsión del inmueble con base en el art. 13 LECrim , solución que resulta escasamente factible.

A mayor abundamiento, problemas de identificación de los demandados/querellados pueden dar lugar a excepciones procesales de falta de litisconsorcio pasivo necesario[139]. La notificación asimismo deviene imposible,

---

[137] Una reflexión obligada pasa por plantearse si resulta aplicable el concepto de precario para calificar la ocupación de inmuebles por la fuerza, rompiendo cerraduras y alterando los suministros para su conexión ilícita. MARTÍ MARTÍ, J. <<Proceso de desahucio frente a los colectivos ocupas>> Diario La Ley núm. 7442. 9 de julio de 2010.

[138] En efecto con base en la Sentencia del Tribunal Supremo de 25 de noviembre de 2003 la jurisprudencia penal excluye de protección la ocupación de inmuebles en estado aparente de abandono, los desocupados durante largo período de tiempo, es decir los que no están en condiciones de ser habitados. MARTÍ MARTÍ, J. <<Los colectivos ocupas y la respuesta del Derecho Penal>> Diario La Ley núm. 7556. 27 de enero de 2011.

[139] En un alarde de hilaridad la Sentencia de la Audiencia provincial de Madrid, Sección 21, de 26 de abril de 2000 (rec. 62/1998) llega a decir que "tampoco puede el demandante demandar a personas desconocidas o ignoradas cuando con una mínima diligencia pudiera haber llegado a conocer la filiación de esas personas. En este supuesto debe demandar a esas personas indicando su nombre y apellidos o su denominación social".

declarando a la parte demandada en rebeldía y demorando cualquier decisión judicial, cuando no se formula interdicto posesorio por parte del demandado frente al propietario del inmueble[140].

Si se opta por la vía civil, resulta harto improbable que se autorice la ejecución provisional del fallo de la primera instancia por entrar en juego el derecho a la vivienda de los okupas.

En cualquier caso el uso de la fuerza no se contempla como eventual solución a este problema, ni la fuerza pública ni mucho menos la privada. En este último caso, un ciudadano que llega a su casa y se encuentra la cerradura cambiada no puede expulsar de su vivienda a los okupas, cuando en otros países —como hemos anticipado— el uso privado de la fuerza se encuentra admitido por la conciencia social y protegido por el Estado. En España este hecho es constitutivo de un rosario de delitos (coacciones, amenazas, lesiones, abuso de derecho…). De hecho los medios de comunicación han publicado noticias de organizaciones criminales que asaltan un inmueble e inmediatamente lo decoran con enseres que hacen ver que constituye su vivienda, impidiendo al legítimo propietario acceder al inmueble. Para más inri, en algunos casos los okupas son los que denuncian al legítimo propietario y poseedor de la vivienda por coacciones y amenazas cuando trata de acceder al inmueble arrebatado[141].

---

[140] En Sentencia de 7 de mayo de 1998, la Sección 2ª de la Audiencia Provincial de Gerona fundamenta en el art. 7.3 LOPJ la notificación genérica a los ocupas de un local conocido como Casal Popular La Maret, considerando que quedan garantizados los principios de contradicción, audiencia y defensa, por lo que la citación al colectivo ha de considerarse plenamente eficaz al legar a su destinatario, al ser entregada y recibida por uno de los usuarios, poseedores y ocupantes del inmueble identificado en la diligencia.

[141] En ediciones de 18 y 21 de julio de 2018 la cadena Antena 3 emite la noticia del propietario de un inmueble de Calafell, que no

La paradoja en estos casos es doble: por un lado, la policía impide al legítimo propietario hacer uso de la fuerza para acceder a su propia vivienda, pese a demostrar su título de propiedad; por otro la policía no tiene capacidad de desalojar a los okupas por medio de la coacción directa.

Podemos admitir que el ordenamiento prohíba la auto tutela privada y que en consecuencia la actuación del particular deba estar presidida por los cauces administrativos; sin embargo, se escapa a la lógica que la policía en el ejercicio de sus funciones no pueda atender al particular con la tutela administrativa que está llamada a desempeñar. Un ciudadano no puede entender que la policía impida al propietario acceder a su inmueble cuando sí consiente la ocupación ilegal. ¿Dónde estaba la policía cuando el okupa irrumpía en la vivienda? Resulta que el okupa, que comete una ilegalidad, ¡es el que solicita a la policía que le proteja del legítimo propietario!

Lo llamativo es que en estos casos las FCS no puedan intervenir restableciendo el ordenamiento conculcado. Por razones obvias donde existan dudas de titularidad sólo la jurisdicción civil podrá emitir un fallo declarativo. Sin embargo ante situaciones clamorosas de ocupación de un inmueble sin el menor pudor, con exhibición ostentosa de pancartas y simbología del movimiento *okupa*, debería admitirse el uso de la fuerza pública para desalojar el inmueble. Lo contrario significa no ver una realidad palmaria y evidente, consintiendo durante años una problemática que se podría solventar si las FCS pudieran expulsar a estos moradores.

---

puede acceder a su inmueble okupado por una familia de un matrimonio y seis hijos, que han pintado en el tejado el lema "okupa y resiste". Lo mismo en la edición de 28 de enero de 2018 respecto de una finca en Palma de Mallroca (Diario Última Hora) o del telediario de Tele Madrid de 21 de noviembre de 2016 respecto de un piso en Fuenlabrada, así como un largo etcétera.

Ante esta situación tan difícil de comprender, una consecuencia es la formación de patrullas ciudadanas de vecinos que rondan la calle "incomodando" a los eventuales delincuentes, llamándoles la atención en público de su modus vivendi, extremo que puede acabar en episodios de agresiones físicas, cuando no de denuncia por amenazas y coacciones a los vecinos.

Otra consecuencia es la aparición de empresas privadas dedicadas a impedir el acceso de los okupas a los inmuebles. En efecto existen empresas que ofrecen sus servicios de desocupación de inmuebles, concentrándose un grupo de hombres musculados en la puerta de la vivienda, que "invitan" a los okupas a dejar expedito el inmueble. En algún reportaje televisivo estas organizaciones se jactan de no haber sido condenados por amenazas ni lesiones.

En cualquier caso lo anterior resulta indicativo de que —si el uso público de la fuerza se encuentra relegado— los particulares son los que se arman para defender una seguridad ciudadana que de otra manera se halla ciertamente precaria.

En este sentido la Ley Orgánica de Seguridad Ciudadana sería la norma adecuada para permitir a las FCS esta intervención, en casos —insistimos— en los que no existiera duda de la ocupación ilegítima, que se hiciera de manera grosera y provocara consecuencias negativas para la convivencia. Todo ello sin perjuicio de que esta actuación fuera revisada jurisdiccionalmente, pero volvemos a reiterar la necesidad de que la legislación administrativa configure un marco jurídico que dote de seguridad a los efectivos policiales.

B. *Desalojo e inviolabilidad de domicilio*

El desalojo de viviendas ocupadas ilegalmente se topa con el bien jurídico del domicilio, protegido al más alto nivel en el art. 18.2 CE. No sin cierta astucia, los ocupantes en ocasiones redecoran el interior del inmueble para hacer ver que constituye su domicilio, y así impedir un desalojo. Con ello jurídicamente se contrapone el derecho de propiedad en tanto que derecho ciudadano (art. 33 CE), a la inviolabilidad de domicilio, que constituye un derecho fundamental, que como tal goza de especial protección.

En este sentido la autorización judicial de entrada en cualquier inmueble, ya sea de la jurisdicción civil (desahucio), penal (registro y/o detención) o contenciosa (ejecutar una demolición, inventariar o catalogar bienes de patrimonio histórico), debe ponderar la necesidad y proporcionalidad de la entrada en el domicilio[142].

El Tribunal Constitucional mantiene este criterio en la Sentencia 188/2013, de 4 de noviembre (rec. 3769/2012), al decir que

> *"...En relación con los actos de la Administración cuya ejecución precisa de la entrada en un domicilio, que es el supuesto que ahora interesa, este Tribunal ha señalado, STC 139/2004, de 13 de septiembre), FJ2: "Que al Juez que otorga la autorización de entrada no le corresponde enjuiciar la legalidad del acto administrativo que pretende ejecutarse. Conviene advertir que esta doctrina, aunque se ha establecido en relación con el Juez de Instrucción, que era quien antes de la reforma efectuada por la Ley 29/1998, de 13 de julio, reguladora de la jurisdicción contencioso-administrativa (en adelante LJCA), otorgaba este tipo de autorizaciones, resulta igualmente aplicable a los Jueces de lo contencioso-administrativo, que son los ahora competentes para emitir aquéllas en los casos en los que ello sea necesario para la ejecución de los actos de la Administración pública (art. 8.5 LJCA) —actual 8.6 LICA— pues,*

---

[142]   SALAMERO TEIXIDÓ, L. *La autorización judicial de entrada en el marco de la actividad administrativa.* Marcial Pons. Madrid, 2014.

en este concreto procedimiento, las atribuciones de estos Jueces se limitan únicamente a garantizar que las entradas domiciliarias se efectúen tras realizar una ponderación previa de los derechos e intereses en conflicto. Como ha señalado este Tribunal (SSTC 160/1991, de 18 de julio, FJ 8 ;136/2000, de 29 de mayo), FJ 3), en estos supuestos la intervención judicial no tiene como finalidad reparar una supuesta lesión de un derecho o interés legítimo, como ocurre en otros, sino que constituye una garantía y, como tal, está destinada a prevenir la vulneración del derecho. De ahí que, para que pueda cumplir esta finalidad preventiva que le corresponde, sea preciso que la resolución judicial que autorice la entrada en el domicilio se encuentre debidamente motivada, pues sólo de este modo es posible comprobar, por una parte, si el órgano judicial ha llevado a cabo una adecuada ponderación de los derechos o intereses en conflicto y, por otra, que, en su caso, autoriza la entrada del modo menos restrictivo posible del derecho a la inviolabilidad del domicilio. En definitiva, ha de concluirse que, desde la perspectiva constitucional, la resolución judicial por la que se autoriza la entrada en un domicilio se encontrará debidamente motivada y, consecuentemente, cumplirá la función de garantía de la inviolabilidad del domicilio que le corresponde, si a través de ella puede comprobarse que se ha autorizado la entrada tras efectuar una ponderación de los distintos derechos e intereses que pueden verse afectados y adoptando las cautelas precisas para que la limitación del derecho fundamental que la misma implica se efectúe del modo menos restrictivo posible. Como decimos, el órgano jurisdiccional debe velar por la proporcionalidad de la medida interesada, de modo tal que la entrada en el domicilio sea absolutamente indispensable para la ejecución del acto administrativo. Pues será justamente en este juicio de proporcionalidad —al que expresamente remiten nuestras Sentencias 50/1995 y 69/1999 , como canon de enjuiciamiento de la licitud de la autorización judicial de entrada en el domicilio—, en el de haberse respetado, no se producirá la vulneración del derecho fundamental. Como se ha indicado en los antecedentes de esta Sentencia, nos encontramos

ante un caso en el que la Administración intenta eje-
cutar forzosamente el contenido de la resolución que
ha dictado previamente y que el afectado se ha negado
a cumplir voluntariamente..... la invocación realizada
por el recurrente en amparo de la Sentencia del Tribu-
nal Europeo de Derechos Humanos de 24 de abril de
2012, caso Yordanova y otros c. Bulgaria, no puede re-
sultar de aplicación al caso que ahora contemplamos
pues en aquélla se entiende que existe una discrimina-
ción étnica, cuya proscripción constituye la motivación
de la Sentencia, circunstancia que no acontece en el
presente caso, en el que sólo se alude tangencialmente
a una posible discriminación con otros moradores de
construcciones a quienes en el futuro y eventualmente
se puedan otorgar soluciones distintas, cuando se pro-
duzca la modificación municipal del planeamiento, tér-
mino de comparación eventual, futuro e incierto que no
puede sustentar la alegación de trato discriminatorio.
Otro tanto acontece con la invocación del art. 8 CEDH
que establece que "1. Toda persona tiene derecho al res-
peto de su vida privada y familiar, de su domicilio y de
su correspondencia. 2. La autoridad pública solamente
podrá injerirse en el ejercicio de este derecho en tan-
to en cuanto esta injerencia esté prevista por la ley y
sea una medida necesaria, en una sociedad democráti-
ca, para la seguridad nacional, la seguridad pública, el
bienestar económico del país, la defensa del orden y la
prevención de los delitos, la protección de la salud o de
la moral, o la protección de los derechos y libertades
de los demás", que en modo alguno pueden entenderse
infringidos por el acto administrativo dictado para la
protección de la legalidad urbanística y la ejecución del
mismo una vez adquirida firmeza, que requiere inexo-
rablemente la entrada en el domicilio objeto de dicha
resolución, para proceder a la demolición en ella acor-
dada y cuya inviolabilidad es el derecho fundamental
sobre el que se solicita amparo constitucional, puesto
que el respeto al domicilio que proclama el alegado art.
8 CEDH tiene como límite, entre otros supuestos, que
la entrada en el mismo sea precisa para la ejecución de
un acto administrativo firme y consentido en una pon-
deración de adecuada proporcionalidad de la inmisión,

como ya ha sido analizado. Y por lo que se refiere al derecho del art. 47 CE (que no es de los comprendidos en el art. 53.2 CE), no se observa en el caso la incidencia de tal derecho en la inviolabilidad domiciliaria, cuando sólo se debate la necesidad y proporcionalidad de la entrada en el domicilio del recurrente, pues la demolición de la vivienda fue ya acordada con carácter de firmeza por la Administración municipal....".

En lo que a nosotros interesa, esto es, la actuación de las FCS, debemos admitir que la doctrina sobre la inviolabilidad del domicilio se encuentra construida con claridad en nuestro país, de manera que el operador jurídico dispone de seguridad y de elementos de juicio para conocer en cualquier momento la licitud o ilicitud de su actuación.

Otra cosa es que en el asunto de la ocupación ilegal de viviendas, la inviolabilidad domiciliaria opere con la misma intensidad que si la ocupación fuera legítima y con justo título. La lógica obliga a considerar que, aunque se haya convertido en domicilio para el ocupante, que no debiera gozar del mismo grado de protección por cuanto existe un vicio de origen, cual es precisamente la entrada aplicando fuerza en las cosas. No obstante lo anterior, mientras el legislador no establezca esta distinción, dado su carácter de derecho fundamental, el intérprete del Derecho (el efectivo policial) deberá conferirle el mismo tratamiento en uno y otro caso.

C. *Desalojo y menores*

Más problemática, desde el punto de vista jurídico, se plantea el desalojo de inmuebles ocupados ilegalmente con presencia de menores. En este caso resultan de aplicación —además del art. 18.2 CE— la Ley Orgánica 1/1996, de 15 de marzo, de protección Jurídica del Menor y la Convención sobre los derechos del Niño de 20 de noviembre de 1989.

En este sentido el artículo 11 de Ley Orgánica de Protección Jurídica del Menor establece en su apartado primero que las Administraciones Públicas deben facilitar a los menores la asistencia adecuada para el ejercicio de sus derechos; establece también que las Administraciones Públicas deberán tener en cuenta las necesidades de los menores al ejercer sus competencias enumerando varias materias, siendo una de ellas la de vivienda. Y, en su apartado segundo dispone que serán principios rectores de la actuación de los poderes públicos en relación con los menores la supremacía de su interés superior, el mantenimiento en su familia de origen, su integración social y familiar. El artículo 12 del mismo texto legal obliga a los poderes públicos a proteger a los menores ante situaciones de riesgo primando las medidas familiares a las asistenciales.

Por su parte el artículo 27, en sus apartados 1 y 3, de la Convención sobre los Derechos del Niño, establece que los Estados Partes reconocen el derecho de todo niño a un nivel de vida adecuado para su desarrollo físico, mental, espiritual, moral y social y ordenan que se adoptarán medidas para ayudar a los padres prestando asistencia material, particularmente, con respecto a la nutrición, el vestuario y la vivienda.

Dado su interés casacional objetivo y su especial trascendencia, resulta obligado citar la Sentencia del Tribunal Supremo, Sala Tercera, de lo Contencioso-administrativo, Sección 3ª, 1797/2017, de 23 de noviembre de 2017 (rec. 270/2016) en el que se plantea lo siguiente: el Instituto de la Vivienda de Madrid solicita autorización judicial de entrada en un inmueble de su propiedad, ocupado ilegalmente, al objeto de ejecutar la resolución que acordaba la recuperación posesoria del inmueble. El Juzgado de lo Contencioso-administrativo núm. 12 de Madrid, en el seno del procedimiento de autorización de entrada en domicilio 347/2015, dicta Auto de 29 de febrero de 2016, por el que autoriza la citada entrada con fundamento en el privilegio de autotutela administrativa y el principio de eficacia[143].

Recurrido el auto, resulta confirmado por Sentencia del Tribunal Superior de Justicia de Madrid de 28 de septiembre de 2016 8rec. 475/2016)[144].

---

[143] «[...] El privilegio de autotutela atribuido a la Administración Pública no es contrario a la Constitución, sino que engarza con el principio de eficacia enunciado en el Art. 103 de la CE (SSTC 22/1984 (LA LEY 8565-JF/0000) , 238/1992, 148/1993, 78/1996), y que la ejecutividad de sus actos en términos generales y abstractos tampoco puede estimarse como incompatible con el artículo 24.1 de la CE (SSTC 66/1984, 341/1993, 78/1996), pero sin que, tal prerrogativa pueda primar sobre el contenido de los derechos y libertades de los ciudadanos (SSTC 22/1984, 171/1997).>>

[144] «[...] Pues bien, consideramos que el Auto de instancia debe ser confirmado por los siguientes motivos.

Ante todo, se ha de señalar, conforme venimos manteniendo en resoluciones anteriores sobre similar cuestión —Sentencias de 13 de noviembre de 2013 recaída en el recurso de apelación n° 1443/2013 y en la de fecha 12 de febrero de 2014 dictada en resolución del recurso de apelación n° 268/2014—que:

"...La preceptiva autorización judicial para la entrada en domicilio y demás lugares que requieran el consentimiento previo del titular, como limitación al principio de autotutela administrativa, tiene como único fundamento la protección del derecho a la intimidad proclamado en elart. 18.1 CE, quedando circunscrita la actuación judicial a examinar la regularidad formal del procedimiento del que dimana la Resolución para cuya ejecución forzosa se insta la autorización —sin valoración alguna de fondo— y la competencia del órgano que la dicta. Cumplidos tales requisitos por la Resolución para cuya ejecución forzosa se insta la autorización de entrada , procede su otorgamiento ....No procede en este momento y a los solos efectos de conceder o denegar la autorización solicitada, controlar la conformidad o disconformidad del acto que se trata de ejecutar, que en su caso ha de efectuarse a través del recurso correspondiente, sino simplemente examinar si se han observado en la vía administrativa los requisitos formales que, como garantía de los administrados, exige la LRJAP (LA LEY 3279/1992) y normas complementarias y en todo caso, si la

Sin embargo el Tribunal Supremo casa la Sentencia anterior porque entiende que el Auto no ha efectuado un juicio sobre la proporcionalidad de la medida adoptada, que incide en la esfera de protección de los derechos e intereses legítimos de los menores, que están abocados a desalojar la vivienda. Entiende el Tribunal Supremo que, con base en el art. 8.6 LJCA (que obliga a Jueces y Magistrados a valorar y ponderar los distintos derechos e intereses que pueden verse afectados), el juez de lo contencioso-administrativo, al autorizar la entrada en un domicilio particular para proceder a su desalojo en el que residan menores de edad, debe tomar en consideración la aplicación del principio de proporcionalidad, y, en consecuencia, adoptar las cautelas adecuadas y precisas para asegurar y garantizar una protección integral y efectiva de los derechos e intereses de los menores.

---

entrada en el domicilio solicitado es una medida adecuada y proporcionada para la efectividad de la actuación administrativa... La puesta en práctica de este medio de ejecución forzosa, exige examinar el agotamiento de todos los demás medios para la ejecución forzosa que no exijan invadir el espacio privado, es decir, asegurarse de que la ejecución de ese acto requiere efectivamente la entrada en el domicilio o lugares asimilados a él, así como que la irrupción en el mismo es necesaria. Tales valoraciones (de proporcionalidad del medio de ejecución y de necesidad de la misma ejecución ante la falta de cumplimiento voluntario del acto administrativo), se han llevado a cabo en la sentencia impugnada, como se desprende del Fundamento Jurídico citado, sin que la parte apelante las haya desvirtuado en esta instancia...".
Similares afirmaciones son predicables de la resolución que ahora se recurre en apelación pues en la misma se han ponderado, la existencia del acto administrativo para cuya ejecución se solicita la autorización de entrada en el domicilio correspondiente, la imposibilidad de ejecución por otros medios, la falta de desalojo de los ocupantes y la ejecutividad del acto administrativo fundamentado en la consideración de que se trata de viviendas cuyo destino es precisamente el acomodo de familias con desprotección social >>.

Concluye por ello que el Auto del Juzgado de lo Contencioso-Administrativo número 12 de Madrid, que autoriza la entrada en el domicilio, para ser acorde con el derecho a una resolución motivada y fundada en Derecho que garantiza el artículo 24 CE, debía contener una valoración de todos los elementos y datos disponibles en el momento que se adopta la decisión judicial restrictiva del derecho fundamental a la inviolabilidad del domicilio, reconocido en el artículo 18.2 CE, pues ello resulta exigible para entender que se ha realizado el juicio de proporcionalidad de la medida.

En consecuencia el Alto Tribunal considera que el Auto recurrido resulta incompartible con la debida protección jurídica de los derechos e intereses de los menores de edad, tal como se reconoce en los artículo 11 y 12 de la Ley Orgánica 1/1996, de 15 de marzo, de Protección Jurídica del Menor , y en el artículo 27 de la Convención sobre los Derechos del Niño de 20 de noviembre de 1989, en relación con las garantías establecidas en los artículos 18.2 y 24 de la Constitución, una resolución del juzgado de lo contencioso-administrativo de autorización de entrada en el domicilio (de conformidad con la potestad que le confiere el artículo 8.6 LJCA) que no esté suficientemente motivada, en la medida que resulta exigible que el juez de lo contencioso-administrativo pondere la situación personal, social y familiar particular de los menores de edad que pueden verse afectados por la ejecución de la orden de desalojo.

Considera asimismo que el auto resulta incompatible con la debida protección jurídica de los derechos e intereses de los menores de edad, tal como se reconoce en los artículo 11 y 12 de la Ley orgánica 1/1996, de 15 de marzo, de Protección Jurídica del Menor, y en el artículo 27 de la Convención sobre los Derechos del Niño de 20 de noviembre de 1989, en relación con la garantía de inviolabilidad del domicilio del artículo 18.2 de la Constitución, una resolución del juzgado de lo contencioso-administrativo de autorización de entrada en domicilio que no contenga un juicio acerca de la aplicación del principio de proporcionalidad, que se efectúe teniendo en cuenta los datos y elementos disponibles sobre la afectación de los derechos e intereses de los menores de edad que la decisión judicial comporta.

D. *Reforma procesal de la tutela posesoria*

El legislador no ha sido ajeno a la problemática de la ocupación ilegal de viviendas, de suerte que —ante la situación descrita en los epígrafes anteriores— ha abordado la reforma de la LECiv a través de la Ley 5/2018, de 11 de junio.

Otra cosa muy distinta es que esta reforma confirme la desconfianza del legislador hacia la intervención de las FCS en un caso de evidente alteración del orden público y apueste por una judicialización de la gestión de este asunto, que —si bien refuerza el elemento garantista de los particulares— no es menos cierto que alarga y burocratiza la solución al problema de la ocupación ilegal.

En efecto el art. 441 CC impide que la posesión pueda adquirirse violentamente mientras exista un poseedor que se oponga a ello, y obliga a "solicitar el auxilio a la Autoridad competente" al que se crea con acción o derecho para privar a otro de la tenencia de una cosa, siempre que el tenedor resista la entrega. No sabemos qué quiso decirse con la "Autoridad competente", que bien podrían haber sido las FCS y sin embargo en sede procesal se ha interpretado como el Juez de la jurisdicción ordinaria.

Es decir el legislador deja sentado con esta disposición que proscribe la autotutela privada, de suerte que el particular propietario no podrá desalojar por la fuerza al poseedor ilegal so pena de incurrir en responsabilidad penal (realización arbitraria del propio derecho, coacciones, amenazas...). Sin embargo, tampoco permite la intervención administrativa a través de las FCS, sino que la LECiv obliga a plantear la tutela sumaria de la posesión a través del juicio verbal.

En este sentido la Ley 5/2018, cuyo preámbulo reconoce la insuficiencia de la intervención de la jurisdicción ordinaria, reforma el art. 437 LECiv para solventar el problema de la identificación de los ocupantes, de manera que permite que la demanda pueda dirigirse genéricamente contra los desconocidos ocupantes del inmueble, e incluso permite que se dicte sentencia en caso de que no se conteste la demanda en plazo (art. 444.1.bis LECiv). Y todo ello con comunicación a los servicios sociales, por si procede su actuación, de la fecha del lanzamiento de los ocupantes (art. 150.4 LECiv).

No deja de resultar llamativo que la propia Ley reconoce en su preámbulo que

> *Están identificadas verdaderas actuaciones organizadas, muy lucrativas y de carácter mafioso, que perturban y privan de la posesión de viviendas a las personas físicas a las que legítimamente corresponde, o dificultan e imposibilitan la gestión de aquellas viviendas en manos de organizaciones sociales sin ánimo de lucro y de entidades vinculadas a Administraciones públicas, que están dedicadas a fines sociales en beneficio de familias en situación de vulnerabilidad, pero que su ocupación ilegal impide que puedan ser adjudicadas a aquellas personas o familias a las que correspondería según la normativa reguladora en materia de política social. Indisponibles, por tanto, para el fin para el que están destinadas, suponiendo ello un grave perjuicio social.*

Desde luego el diagnóstico que efectúa el legislador no puede ser más exacto. Reconoce que se han llegado a ocupar ilegalmente viviendas de alquiler social de personas en situación económica muy precaria o propiedad de ancianos con pocos recursos y, para abandonarlas, se les ha exigido el pago de cantidades a cambio de un techo inmediato, o se ha extorsionado al propietario o poseedor legítimo de la vivienda para obtener una compensación económica como condición para recuperar la vivienda de su propiedad o que legítimamente venía poseyendo.

Siendo esto así, es decir, si la ocupación ilegal de viviendas es un instrumento para cometer delitos de coacciones (abandonar el inmueble a cambio de dinero), es evidente que no se trata de un problema estrictamente civil entre particulares, sino que afecta directamente a la seguridad ciudadana y en consecuencia deberían tener intervención las FCS con el uso de la fuerza en determinados casos en que la comisión del delito sea evidente; eso sí, contando con un régimen jurídico claro, con pautas a seguir en caso de presencia de ancianos, menores...

Así, resulta reprochable la solución que opera la Ley 5/2018 por cuanto reconoce la existencia de organizaciones criminales que extorsionan al propietario del inmueble, y en cambio señala en el preámbulo que la vía penal (se refiere exclusivamente al delito de usurpación del art. 245.2 CP) debe ser una *ultima ratio*. El legislador con esta reforma procesal apuesta decididamente por la vía civil, cuando reconoce una notable carga criminal, y que "ninguno de los cauces legales actualmente previstos en la vía civil, para procurar el desalojo de la ocupación por la fuerza de inmuebles, resulta plenamente satisfactorio y, en todo caso, se demora temporalmente de forma extraordinaria".

Es previsible que esta reforma procesal solvente gran parte de la problemática que genera la ocupación ilegal de viviendas, si bien constituye una ocasión perdida para hacer que las FCS puedan intervenir en un asunto que les es propio, cual es el mantenimiento de la seguridad ciudadana (art. 11.1, apartados a, b, e, f, g.h) y la intervención en asuntos de naturaleza claramente penal.

2. RECHAZO DE INMIGRANTES EN FRONTERA

A. Planteamiento

Otro asunto en el que se discute —y mucho— el uso de la fuerza por efectivos policiales es el del rechazo de inmigrantes en frontera. Los asaltos masivos de inmigrantes, previamente concertados, a las vallas de Ceuta y Melilla han generado polémica social, mediática y judicial, por el hecho de devolver a los inmigrantes, después de horas encaramados en las rejas, a territorio marroquí[145].

En este caso no nos referimos a los procedimientos de expulsión de inmigrantes irregulares, que hayan entrado en España de manera clandestina o sin cumplir los requisitos para la residencia legal en España. En este caso existe un procedimiento administrativo regulado en los arts. 57 y 58 de la Ley Orgánica 4/2000, de 11 de enero, sobre derechos y libertades de los extranjeros en España y su integración social. De hechos los arts. 20 a 21 de la LOEx regulan las garantías jurídicas de los extranjeros, entre las que se encuentra el derecho a la tutela judicial efectiva, al recurso contra los actos administrativos y hasta la asistencia jurídica gratuita.

Por el contrario, en la denominada *devolución en caliente* vuelve a manifestarse la coacción directa que aplica un efectivo policial después de dirimir *in situ* una situación de hecho y tomar una decisión, es decir, dictar un acto administrativo que no es fruto de un procedimiento convencional y que no se plasma en documento alguno[146].

---

[145] Esta devolución se fundamenta en el Acuerdo entre el Reino de España y el Reino de Marruecos relativo a la circulación de personas, el tránsito y la readmisión de extranjeros entrados ilegalmente, firmado en Madrid el 13 de febrero de 1992.

[146] La doctrina se refiere a esta decisión policial como el acto administrativo no procedimentalizado. AGUIRREAZKUÉNAGA

Una cuestión tan obvia como es el uso de la fuerza
para defender la frontera de un Estado, ha generado tal
polémica —incluso la imputación en procedimientos penales de miembros de la Guardia Civil— que el legislador
ha tenido que contemplar expresamente la ¡mera posibilidad! de que los extranjeros, que sean detectados en la
línea fronteriza de la demarcación territorial de Ceuta o
Melilla mientras intentan superar los elementos de contención fronteriza para cruzar irregularmente la frontera, sean rechazados a fin de impedir su entrada ilegal en
España[147].

Sin perder el referente humanitario, no puede olvidar-
se que el uso de la fuerza por los efectivos policiales responde a una situación de urgencia para repeler un acto
ilegal, masivo y sorpresivo, y que su fin no es otro que el
de, o bien evitar una infracción, o bien el restablecimiento de la legalidad. En este sentido si las FCS no pueden

---

ZIGORRAGA, I. –GARCÍA DE ENTERRÍA MARTÍNEZ-CA-
RANDE, E. *La coacción administrativa directa.* Civitas. Madrid,
1990. Págs. 389 a 422.

[147] Nos referimos a la disposición adicional décima de la LOEx in-
troducida por la Ley Orgánica 4/2015, de 30 de marzo, de protección de la seguridad ciudadana. En derecho europeo existe la
Directiva 2008/115/CE, del Parlamento Europeo y del Consejo,
de 16 de diciembre de 2008, relativa a normas procedimentales
comunes en los estados Miembros para el retorno de los nacionales de países en situación irregular, más conocida como Directiva
de Retorno, que no regula esta situación del rechazo en frontera. MELERO ALONSO, E. <<El retorno en frontera en Ceuta y
Melilla (o las "expulsiones en caliente"): un supuesto de derecho administrativo del enemigo>> *Revista Española de Derecho
Administrativo* núm. 174. Octubre-diciembre 2015. Págs. 401
a 433. ACOSTA PENCO, T. <<Rechazo en frontera y derechos
humanos>> *Revista Española de Derecho Administrativo* núm.
193. Julio-septiembre 2018. Págs. 275 a 307. RUIZ SUTIL, C.
<<El rechazo en frontera o la denominada "devolución en calien-
te" y su regulación en la LOEx>> *Revista Española de Derecho
Internacional,* Volumen 88/2, julio-diciembre 2016.

defender las fronteras de un Estado, en ese caso sencillamente decae la justificación del vallado.

La alternativa al rechazo consiste en que la Guardia Civil debe poner al inmigrante a disposición del Cuerpo Nacional de Policía, que le asegura en un Centro de Internamiento; a continuación, se tramita un expediente de expulsión, no sin antes permitir al extranjero su abandono de España voluntario, y por último proceder a ejecutar la expulsión (art. 58.5 LOEx y art. 23 RLOEx)[148]. A su vez esta resolución de expulsión puede ser suspendida por un auto judicial de medidas cautelarísimas *inaudita parte* dictado por un juez de lo contencioso o incluso un juez de guardia[149]. Ante la falta de medios humanos, materiales y presupuestarios, la inmensísima mayoría de estos expedientes quedan sin resolver o sin ejecutar, procediéndose a la liberación del extranjero después de un tiempo de permanecer en el Centro de Internamiento, incumpliendo todo tipo de garantías[150].

---

[148] GRACIA PÉREZ DE MERGELINA, D. <<El rechazo de inmigrantes irregulares en las fronteras de Ceuta y Melilla>> *Diario La Ley* núm. 9057. Wolters Kluwer. 9 de octubre de 2017.

[149] El Acuerdo del Consejo General del Poder Judicial de 28 de noviembre de 2007, por el que se modifica el Reglamento 1/2005, de 15 de septiembre, de Aspectos Accesorios de las Actuaciones Judiciales, permite que los juzgados de guardia adopten medidas cautelas inaudita parte en relación con actuaciones de la Administración en materia de extranjería, asilo político y condición de refugiado que impliquen expulsión, devolución o retorno. PLASENCIA DOMÍNGUEZ, N. <<Jurisdicción penal y medidas repatriativas de extranjería>> *Diario La Ley* núm. 8984. Wolters Kluwer. 22 de mayo de 2017.

[150] No está de más citar en este punto la Sentencia del Tribunal Constitucional 154/2016, de 22 de septiembre de 2016 (rec. 6144/2014), por el que el Tribunal Constitucional inadmite el recurso de amparo formulado por la Asociación Algeciras Acoge frente al Auto del Juzgado de Instrucción núm. 2 de Algeciras, por el que se denegaba la incoación del procedimiento de habeas corpus en relación a los siguientes hechos: 250 inmigrantes arribados a España (Tarifa) en patera fueron custodiados por la Guardia

En cualquier caso, los efectivos policiales destinados a la protección y vigilancia de la frontera en las Ciudades Autónomas de Ceuta y Melilla se hallan en una situación tremendamente complicada, no sólo por su integridad física, sino también por la dificultad jurídica de llevar a cabo su función legítima.

B. *Rechazo en frontera, devolución y expulsión*

Con toda su problemática judicial, el uso de la fuerza se ha debatido en el seno de la distinción entre tres con-

---

Civil durante ocho días en un Centro de Internamiento sin pasar a disposición judicial y sin asistencia letrada. La entidad asociativa entiende vulnerados el derecho a la libertad personal (art. 17.2, 3 y 4 CE) y el derecho a la tutela judicial efectiva (art. 24 CE). El Tribunal Constitucional no entra en el fondo del asunto al considerar que la Asociación no se encuentra legitimada de acuerdo con el art. 3 LOHC. Sin embargo, es interesante la lectura del voto particular formulado por tres magistrados, quienes —de manera coincidente con lo informado por el Ministerio Fiscal— aprecian una violación suficientemente caracterizada en términos constitucionales del derecho a la libertad personal: "Esta violación es especialmente grave en términos (i) cuantitativos, ya que afectó a unas 250 personas; (ii) cualitativos, ya que la privación gubernativa de libertad se prolongó durante más de ocho días sin que se prestara a los afectados siquiera la debida asistencia letrada, en un lugar, como es un polideportivo, que no reúne las condiciones materiales y jurídicas para el fin propuesto, y en relación con personas en una situación de especial vulnerabilidad; e (iii) institucionales, ya que la posición adoptada por el Ministerio Fiscal y el Juez de Instrucción en el procedimiento de habeas corpus, consistente en solicitar y acordar, respectivamente, la inadmisión de la solicitud, frustró las posibilidades de cumplir con la labor que el art. 17.4 CE asigna al procedimiento de habeas corpus como garantía de control judicial del derecho a la libertad de los ciudadanos frente a las privaciones ilegales de libertad en que incurra la autoridad gubernativa. El objeto del recurso examinado es un ejemplo de este supuesto de privación ilegal de libertad".
En sede doctrinal *vid.* DOMÍNGUEZ, J. F., «Asalto a la valla y quiebra de Derecho», *FRIDE*, 2005. Pág. 2.

ceptos, no siempre bien definidos en el ordenamiento jurídico[151]: el rechazo en frontera consiste en todas aquellas medidas de disuasión a la entrada en territorio español; la devolución consiste en la conducción a suelo marroquí del inmigrante que se encuentra atravesando ilegalmente la frontera; y la expulsión consiste en un procedimiento administrativo que finaliza con una resolución que obliga al extranjero ilegal en España a abandonar el país con prohibición de entrada durante tres años[152].

El rechazo en frontera y la devolución se encuentran íntimamente unidos y en ellos el efectivo policial persigue restituir el orden infringido. En este sentido el vallado está rematado a distinta altura por alambre dentado (concertinas) y recubierto en algunos tramos por malla anti escalada. En Melilla se adiciona entre la primera y la segunda valla otro obstáculo conocido como «sirga tridimensional» (un entramado de cables metálicos a modo de laberinto). Los elementos defensivos se completan con varios sistemas tecnológicos (tales como cable sensor para detectar posibles cortes en el cerramiento, cámaras de vigilancia, sensores de sonido, movimiento y térmicos, equipamiento de luces y visión nocturna, etc.), que facilitan a las unidades policiales encargadas de su custodia las labores de vigilancia y control del perímetro fronterizo.

---

[151] VELASCO CABALLERO, F. <<Expulsión administrativa, devolución, retorno y otras "salidas obligatorias">> *Revista Aragonesa de Administración Pública* núm. Extra 6. 2003. Págs. 301 a 340.

[152] Sobre la distinción de estas tres figuras jurídicas, *vid*. la Consulta 1/2001, de 9 de mayo de 2001, de la Fiscalía general del Estado, sobre el retorno de extranjeros que pretenden entrar ilegalmente en España: alcance y límites. Vid. asimismo *Vid*. Sentencias del Tribunal Constitucional 94/1993, de 22 de marzo (FJ 3) y 116/1993, de 29 de marzo (FJ 4 in fine). Como doctrina autorizada, valga citar MESTRE DELGADO, J. F., «Art. 57. Expulsión del territorio», en: ESPLUGUES MOTA, C. (Coord.), *Comentarios a la Ley de Extranjería*. Tirant lo Blanch. Valencia, 2006. Pág. 1263.

El legislador a la hora de redactar la LO 4/2000 no pudo prever la entrada masiva y organizada que suponen los asaltos a las vallas de Ceuta y Melilla, y no en vano formula una definición del rechazo en frontera totalmente procedimentalizada en su art. 26.2:

> *A los extranjeros que no cumplan los requisitos establecidos para la entrada, les será denegada mediante resolución motivada, con información acerca de los recursos que puedan interponer contra ella, plazo para hacerlo y autoridad ante quien deben formalizarlo, y de su derecho a la asistencia letrada, que podrá ser de oficio, y de intérprete, que comenzará en el momento mismo de efectuarse el control en el puesto fronterizo.*

La LOEx prevé un procedimiento administrativo para la expulsión de extranjeros en su art. 57, concebido como una sanción[153]. Sin embargo, el art. 58.3.b entiende que no será preciso expediente de expulsión para la devolución de los extranjeros que pretendan entrar ilegalmente en el país.

La redacción de estos tres supuestos permite inferir que el rechazo en frontera —concebido en la LOEx como el extranjero que se presenta a la frontera solicitando el acceso, una vez analizada la documentación, se dicta resolución denegando el mismo— y la orden de expulsión

---

[153] El Tribunal Superior de Justicia de Andalucía de Málaga, Sala de lo Contencioso-administrativo, en Sentencia 541/2015 de 9 de marzo de 2015 (rec. 100/2014) confirma la expulsión del territorio nacional con prohibición de entrada a un extranjero que se personó voluntariamente en las dependencias policiales careciendo de documentación, lo que es suficiente para justificar la imposición de la sanción expulsión y no la de multa. La Sentencia rechaza la falta de motivación y de desconocimiento del principio de proporcionalidad. El extranjero era persona integrante del colectivo de inmigrantes irregulares de la ciudad de Melilla, donde ha accedido burlando los controles policiales fronterizos, sin documentación que habilite la estancia. El Tribunal no aprecia medio de vida lícito ni tampoco conssta dato alguno de arraigo.

se dictan de acuerdo con un procedimiento administrativo, mientras que la devolución es posible al margen de cualquier procedimiento[154].

Este razonamiento tiene todo su sentido y es conforme a la lógica más elemental: ante un asalto violento y tumultuoso al vallado, en grupo, para vencer por la fuerza las defensas fronterizas, el Estado sólo puede reaccionar mediante el uso de la fuerza policial, sin que sea posible un procedimiento al uso. Si las defensas físicas (vallas, concertinas...) resultan burladas, los efectivos policiales no tienen otra opción que hacer uso de la fuerza para repeler la entrada ilegal al territorio español. La alternativa no es otra que eliminar directamente el vallado y abrir las fronteras.

En síntesis, la expulsión requiere procedimiento y la devolución no. La expulsión y el retorno, aunque son reacciones frente a un mismo hecho la entrada ilícita en territorio español presentan diferencias notables. La expulsión constituye una sanción administrativa que lleva aparejada la prohibición de entrada en España por un lapso temporal y que precisa de la tramitación de expediente administrativo de expulsión en el que se acredite la comisión del ilícito sancionable. En cambio, el retorno no es propiamente una sanción, sino una medida de restablecimiento inmediato del orden jurídico perturbado, que se acuerda sin necesidad de incoar expediente de expulsión.

C. *Legalidad de la devolución o retorno*

Con esta previsión normativa de la LOEx, las denominadas devoluciones en caliente han generado toda clase de problemas jurídicos, derivando en la imputación

---

[154]   GONZÁLEZ GARCÍA, J. <<Expulsiones en caliente, devoluciones y petición de asilo en Ceuta y Melilla>> *Revista de Administración Pública* núm. 196. Enero-abril 2015. Págs. 309 a 329.

de miembros de la Guardia Civil por delito de prevaricación.

— Consulta 1/2001, de la Fiscalía General del Estado.

Para seguir un orden cronológico de los casos más relevantes, debemos aludir a la "Consulta 1/2001, de 9 de mayo de 2001, de la Fiscalía General del Estado, sobre el retorno de extranjeros que pretenden entrar ilegalmente en España: alcance y límites". En ella, dictada inmediatamente a la entrada en vigor de la LOEx, se plantea la siguiente consulta:

> *En la madrugada del 20 de junio de 2000 la Guardia Civil de Mijas interceptó una furgoneta, matrícula de Murcia, en la que viajaban hacinados 37 ciudadanos marroquíes. Muchos de los ocupantes presentaban sus prendas de vestir mojadas por agua de mar, detectándose en el interior del vehículo arena de playa. Igualmente fueron hallados numerosos plásticos donde traían sus ropas secas, algunos de los cuales las cambiaron por las humedecidas tras la detención por la Guardia Civil.*
>
> *A juicio de la fuerza actuante los ciudadanos marroquíes acababan de desembarcar en algún punto de la costa española entre Tarifa y Málaga y se dirigían a la región de Murcia para establecerse.*
>
> *Entre las actuaciones practicadas en el atestado levantado al efecto consta la identificación y posterior negativa a prestar declaración de todos los ciudadanos extranjeros y la entrega del atestado y puesta a disposición del español conductor de la furgoneta, único que resultó detenido, a la autoridad judicial.*
>
> *A los efectos de la Consulta es importante destacar que la fuerza pública solicitó autorización para proceder al retorno de tales ciudadanos a su país de origen, lo que se acordó por el Subdelegado del Gobierno al amparo del art. 54.2.b) de la Ley Orgánica 4/2000, de 11 de enero, sobre derechos y libertades de los extranjeros en España y su integración social. En consecuencia,*

> *no les fue incoado expediente de expulsión. El acuerdo*
> *de retorno fue inmediatamente ejecutado.*

Esta Consulta distingue la expulsión de la devolución o retorno, y en materia de procedimiento entiende en su conclusión tercera que la adopción de la medida de devolución o retorno sin previo expediente se justifica en atención a la flagrancia de la infracción administrativa consistente en la entrada ilícita en territorio español. En consecuencia considera que la decisión de la autoridad administrativa autorizando la medida de retorno o devolución en el caso sometido a consulta se considera acorde con la normativa entonces vigente y en especial con la causa de retorno del art. 58.2.b) de la LO 4/2000.

Es decir, para la Fiscalía General del Estado, con la expresión legal «los que pretendan entrar ilegalmente en el país» que utiliza el art. 58.2.b), se acota la figura del retorno y se aplica a aquellos que sean sorprendidos de un modo patente o in fraganti en su acción de entrada ilícita en España, lo que justifica la respuesta más contundente e inmediata del retorno frente a la de la expulsión.

— Instrucción 3/2003, de la Fiscalía General del Estado, sobre el retorno de menores

Al igual que hemos dicho en materia de ocupación ilegal de viviendas, la condición de menor de edad del extranjero inmigrante ilegal en territorio español también plantea problemas de mayor enjundia.

No en vano la Fiscalía General del Estado dicta la Instrucción 3/2003, de 23 de octubre, sobre la procedencia del retorno de extranjeros menores de edad que pretendan entrar ilegalmente en España y en quienes no concurra la situación jurídica de desamparo, en la que en esencia determina:

1ª. Salvo prueba en contrario (art. 281.2 LEC), los extranjeros mayores de dieciséis años que viven independientes de sus padres y con el consentimiento de éstos (art. 319 CC), tienen capacidad para regir su persona y bienes como si fueran mayores de edad (art. 323 CC).

2ª. En tales casos, no será procedente entender que concurre la situación jurídica de desamparo, con las consecuencias legales que ello conlleva en el régimen jurídico de la repatriación del extranjero.

3ª. La detención de los extranjeros menores de edad que pretendan entrar en España será notificada inmediatamente, y en todo caso dentro de las veinticuatro horas, a los Fiscales de Menores (art. 17.1 LO 5/2000). Los Sres. Fiscales, salvo en aquellos supuestos excepcionales en que aprecien una palmaria situación de desamparo, dictaminarán a favor del retorno del menor a su punto de origen a la mayor brevedad posible (art. 60.1 LE) .

4ª. En el caso de que el retorno no pudiera llevarse a cabo dentro de las cuarenta y ocho horas de la detención, el Fiscal de Menores se dirigirá al Juez de Menores para que autorice el internamiento en el centro de menores que designe la correspondiente Comunidad Autónoma.

5ª. El Fiscal que, en atención a la excepcionalidad de las circunstancias concurrentes, se propusiera interponer un acto impugnativo contra la decisión administrativa de repatriación del menor de edad no desamparado, habrá de contar con la autorización expresa del Fiscal Jefe, quien, a la mayor urgencia posible, elevará informe motivado al Fiscal General del Estado argumentando las razones que avalan la procedencia del recurso.

— **Frontera de Melilla: imputación del Coronel Jefe de la Guardia Civil por ordenar devolución de extranjeros**

Los días 18 de junio y 13 de agosto de 2014 agentes de la Guardia Civil del puesto fronterizo de Melilla acompañaron a territorio marroquí a inmigrantes que se encontraban en la zona entre las dos últimas vallas. Se interpuso querella y denuncia[155] contra el Coronel Jefe de la Comandancia de la Guardia Civil, que resultó imputado en el procedimiento de diligencias previas 866/2014 seguido ante el Juzgado de Primera Instancia e Instrucción núm. 2 de Melilla. Por Auto del Juzgado de 11 de septiembre de 2014 se acuerda recibir declaración al Coronel en calidad de imputado. Solicitado el sobreseimiento por el Ministerio Fiscal, fue denegado por Auto del Juzgado de 17 de noviembre de 2014. Recurrido este último por el Ministerio Fiscal, la Audiencia Provincial de Málaga, Sección 7ª, con sede en Melilla, dictó Auto 83/2015, de 7 de abril de 2015 (rec. 437/2014), estimando el recurso de apelación y acordando el sobreseimiento parcial y provisional de la causa.

Básicamente el Auto entiende que la función defensiva de las fronteras compete a la Guardia Civil con base en el art. 12.B.d LOFCS y que la construcción de la valla es una facultad soberana del estado, quien tiene el derecho y deber de controlar sus fronteras. Admite que la orden del Coronel no es caprichosa, sino que se ampara en el Protocolo Operativo de Vigilancia de Fronteras de 26 de febrero de 2014 y en la Orden de Servicios 6/2014, sobre Dispositivo Anti Intrusión en la valla perimetral de Melilla. Considera que estos protocolos infringen la

---

[155] Los denunciantes/querellantes fueron la federación Andalucía Acoge, SOS Racismo y la Asociación Pro Derechos de la Infancia-PRODEIN.

legislación en materia de extranjería, de manera que la orden del Coronel es contraria al ordenamiento jurídico, si bien no reúne el plus de criminalidad para integrar el tipo de la prevaricación.

La Audiencia Provincial no es ajena a la dificultad de defender las fronteras españolas en situaciones tan gravosas para los efectivos de la Guardia Civil:

> *Merece destacar que las resoluciones se dictan con relación a los asaltos masivos de la frontera con la finalidad de entrada ilegal de numerosas personas no identificadas, en abierta oposición a las órdenes emitidas por las autoridades competentes de la vigilancia de la misma y con empleo en ocasiones de violencia para vencer la fuerza policial opuesta al ilegítimo acceso, permite racionalmente considerar que tales actos comprometen la seguridad de la frontera cuyo cuidado viene encomendado por ley la Guardia Civil. Tampoco puede ignorarse el hecho notorio de la existencia en el perímetro fronterizo de la ciudad de Melilla, de extensión aproximada 10 kilómetros y bordeada en toda su longitud por dos vallas de seis metros de altura y una sirga tridimensional intermedia de tres metros, de al menos tres puestos fronterizos de paso de personas, uno de ellos especialmente habilitado para el ejercicio del derecho de asilo, en los que las fuerzas de seguridad del Estado español no oponen dificultad al legítimo ejercicio de los derechos por los inmigrantes, tramitando y resolviendo de manera respetuosa para con la legislación humanitaria las solicitudes de entrada y en su caso, asilo. Lo dicho pone de manifiesto la menor entidad de la contravención del derecho humanitario derivado del rechazo en línea fronteriza sin observancia de las garantías exigidas. Así, a la infracción por las autoridades españolas de los derechos y garantías exigidos por la legislación española en las decisiones administrativas de denegación de entrada y solicitudes de asilo en los asaltos masivos, se contrapone la disposición de las propias autoridades españolas a tramitar en los puestos habilitados para ello, próximos a los lugares donde se pretenden las entradas ilegales, con observancia de las*

garantías legales y respeto del derecho humanitario, las solicitudes de entrada o asilo de los mismos inmigrantes rechazados en la línea fronteriza de contención.

Este caso fue objeto de denuncia ante el Tribunal Europeo de Derechos Humanos, que en Sentencia de la Sala de octubre de 2017 condenó al Reino de España al pago de una indemnización de 5.000 euros a cada uno de los dos reclamantes con base en que no se había articulado un procedimiento administrativo ni un proceso judicial, extremo que era contrario al art. 13 de la Convención de Derechos Humanos y al art. 4 del Protocolo núm. 4:

"Los demandantes consideran que debían haber sido identificados y sujeto a un procedimiento administrativo individualizado antes de haber sido eventualmente devueltos a su país de origen. Consideran que al no haber sido así se produce una expulsión colectiva contraria al artículo 4 del Protocolo nº 4 del Convenio y una vulneración del derecho a un recurso efectivo del artículo 13 del Convenio. España, por el contrario, consideraba que si —como sucede en este caso— se intenta una entrada ilegal por una frontera terrestre cuando se podía haber intentado la entrada legalmente por la oficina de protección internacional sita en el paso autorizado no puede considerarse que haya ausencia de recurso efectivo contra la negativa de entrada. Asimismo, que cuando existe dicha posibilidad de paso legal, el Estado tiene el derecho e incluso la obligación de proteger la frontera frente a los intentos de paso ilegal, impidiendo la entrada efectiva en el territorio, al no existir ningún derecho internacional de entrada a un territorio nacional fuera de los pasos fronterizos autorizados.

El Tribunal Europeo de Derechos Humanos considera que ha existido una vulneración de los artículos 13 del Convenio y 4 del Protocolo 4 del Convenio, condenando a satisfacer a cada demandante 5.000 € en concepto de satisfacción equitativa".

Formulado recurso por el Gobierno de España, la Gran Sala corrige la doctrina anterior en la Sentencia de

13 de febrero de 2020 (Asunto ND y NT contra España, recs. 8675/15 y 8697/15). A juicio de la Gran Sala, España no violó la prohibición de realizar expulsiones colectivas de la Convención Europea de Derechos Humanos ni tampoco el artículo 13 sobre el derecho a un recurso efectivo:

> *"El tribunal consideró que los demandantes se pusieron ellos mismos, de hecho, en una situación ilegal cuando intentaron de forma deliberada entrar en territorio español el 13 de agosto de 2014 de una forma no autorizada al escalar las vallas que rodean el enclave español de Melilla en la costa norteafricana"*

Los 17 jueces que revisaron a petición de España la sentencia inicial, consideraron por unanimidad que -aunque los reclamantes disponían sobre el terreno de varias vías para solicitar una entrada regularizada a España, "decidieron no usar los procedimientos legales que existían para entrar en territorio español de manera legal". Por lo tanto, agrega el tribunal europeo, lo que sucedió después —su arresto y devolución inmediata, sin que se les permitiera consultar a un abogado o a un médico— fue "consecuencia de su propia conducta". En tanto que el TEDH consideró probado que "la falta de un procedimiento individualizado" para su expulsión fue consecuencia de lo que hicieron los demandantes, los jueces de Estrasburgo "no pueden hacer responsables al Estado de la falta de un recurso legal en Melilla que les permitiera impugnar esa expulsión".

— **Frontera de Ceuta: Caso Tarajal.**

En Ceuta el día 6 de febrero de 2.014 hubo un intento masivo de un número indeterminado de inmigrantes — entre 250 y 300— de acceder a territorio español, adentrándose en el mar por el espigón de la playa del Tarajal de Ceuta. Pretendían acceder a las costas españolas en avalancha y a nado. Del grupo de inmigrantes solo llegaron a la playa de Ceuta 23, que fueron expulsados a través de las denominadas "devoluciones en caliente". Con posterioridad al día 6 de febrero, en concreto los días 8, 12, 13 y 15 de febrero, aparecieron en las costas españolas los cadáveres de cinco inmigrantes. A día de hoy se desconoce si los fallecimientos se produjeron en aguas de Ceuta o de Marruecos. La causa de los fallecimientos fue asfixia por sumersión, sin que ninguno de ellos presentase lesiones determinantes del fallecimiento. Los agentes de la Guardia Civil, en el ejercicio de su función de impedir la entrada ilegal de personas, hicieron uso de material antidisturbios.

En el procedimiento abreviado 123/2014 seguido ante el Juzgado de Primera Instancia e Instrucción núm. 6 de Ceuta se imputó a dieciséis agentes de la Guardia Civil por los delitos de homicidio y lesiones imprudentes, así como de prevaricación por las devoluciones. Por Auto de 15 de octubre de 2015 se acordó el sobreseimiento provisional por los delitos de homicidio y lesiones imprudentes, y libre por el delito de prevaricación.

El Auto razona el procedimiento seguido por los agentes, no hallando responsabilidad criminal de ningún tipo:

1. Los agentes de la Guardia Civil actuaron en el ejercicio de su función de custodia y vigilancia de la frontera; función que exige impedir la entrada ilegal de personas en el territorio nacional, salvo por los lugares legalmente habilitados al efecto.

2. En el ejercicio de la función de custodia y vigilancia de la frontera, la Guardia Civil está autorizada para utilizar medios antidisturbios reglamentarios, siempre ajustados a los principio de oportunidad, congruencia y proporcionalidad, principios básicos de actuación recogidos en el art. 5 de la Ley Orgánica 2/86 de 13 de marzo según el Protocolo Operativo de Vigilancia de Fronteras.

La Orden de Servicio 15/11 de la Comandancia de Ceuta establece un procedimiento de intervención gradual en lo referente a la protección del perímetro fronterizo:

> *Cuando se produzca el avistamiento de inmigrantes que se dirigen hacia la valla proveniente de la zona marroquí, el personal que lo efectúe, además de la comunicación inmediata radiotelefónica procedente, seguirá un procedimiento de intervención gradual con arreglo a la progresión siguiente:*

> *Uso de silbato con pitadas largas para llamar la atención de los inmigrantes, que se alternarán con indicaciones de detenerse y retroceder. En horas nocturnas se hará uso de los focos portátiles.*

> *Caso de que prosigan el avance haciendo caso omiso a las indicaciones anteriores se podrá hacer uso de los medios antidisturbios, pelotas de goma y defensas, de que se dispone. Una salva inicial al aire precederá al lanzamiento real de pelotas de goma, que no llegará a materializarse si los advertidos proceden a retirarse. En estos casos el uso de los medios habrá de regirse por los principios de congruencia, oportunidad y proporcionalidad. La utilización de botes de humos se hará solamente como último recurso.*

De las declaraciones exculpatorias de los agentes imputados y del resto de agentes que intervinieron en los hechos, quienes prestaron declaración como testigos en sede policial y del material videográfico se desprende que el día 6 de febrero de 2014 la Guardia Civil actuó conforme a la Orden de Servicio número 15/11.

Las grabaciones ponen de manifiesto que la masa de inmigrantes trataba de entrar en Ceuta en avalancha, que pese a las actuaciones desplegadas por las fuerzas marroquíes y los agentes de la Guardia Civil desplegados en la valla, zona de ALFA 2, los inmigrantes continuaron su avance incluso después de que los agentes utilizaran el material antidisturbios en el espigón.

Los agentes desplegados en el espigón declararon que en un primer momento tiraron las pelotas para delimitar la línea fronteriza y disuadir a los inmigrantes para que no pasaran, pero al ver que los mismos no hacían caso procedieron a lanzar pelotas para canalizar a los nadadores para facilitarle la salida por la orilla y evitar que se agolpasen en el espigón.

3. Una cosa es la legitimación y obligación de los agentes de utilizar el material antidisturbio y otra distinta es el uso concreto que cada agente hizo de dicho material.

No existe ningún indicio que permita afirmar que los agentes imputados hicieron un uso inadecuado del material antidisturbio, máxime cuando no existe un protocolo que regule la utilización de dicho material en el medio acuático. La mera utilización de dicho material no puede ser calificada como imprudente en atención a lo ya expuesto. Por otra parte, no se puede olvidar el principio de responsabilidad penal personal y que la imprudencia es graduable, no toda imprudencia debe ser incardinada en el ámbito penal.

4. Los agentes utilizaron el material antidisturbios con efecto disuasorio, confiando en que lograrían su objetivo: detener el avance de los inmigrantes en su objetivo de llegar a las costas españolas.

5. Los inmigrantes no eran personas en peligro en el mar que precisasen ayuda en el sentido referido en el Convenio Internacional para la Seguridad de la Vida Humana en el Mar (SOLAS) y la Convención Internacional sobre SAR Marítimo. Los inmigrantes asumieron el riesgo de entrar ilegalmente en territorio español por el mar a nado, en avalancha, aprovechando la noche, vistiendo gran cantidad de ropa y haciendo caso omiso a las actuaciones disuasorias tanto de las fuerzas marroquíes como de la Guardia Civil.

En segundo lugar y por lo que respecta a la devolución de los 23 inmigrantes interceptados, el Auto entiende que no existe delito de prevaricación, si bien se ampara en la reforma de la LOEx operada por la Ley Orgánica de Seguridad Ciudadana que analizamos en el siguiente epígrafe.

D. *Amparo legal de la devolución*

En los puestos fronterizos de Ceuta y Melilla la Guardia Civil ha tenido que llevar a cabo una coacción directa para repeler la entrada ilegal en España. En este sentido el rechazo en frontera y la devolución suponen una actuación compulsiva que entre la LOEx (2000) y la Ley Orgánica de Seguridad Ciudadana (2015) ha sido expuesta jurídicamente a la vía de hecho o incluso al delito de prevaricación.

No se puede consentir que un efectivo policial no tenga amparo legal para conocer con certeza qué puede hacer dentro del ordenamiento jurídico y qué no puede hacer por hallarse proscrito. Lo que no resulta de recibo es que por un lado se le obligue a defender las fronteras y por otro se le obligue a asumir el riesgo de una imputación judicial por llevar a cabo su trabajo.

Para un caso tan específico como el del asalto masivo y organizado a la valla[156], quince años ha tardado

---

[156] Como venimos diciendo, no estamos ante el inmigrante que, a bordo de una patera, confía en alcanzar las costas de Ceuta y Melilla antes de ser descubierto por las FCS; o que trata de burlar los controles fronterizos con documentación falsa u ocultándose en el fondo de un vehículo. Frente a estos supuestos típicos de devolución, donde la entrada ilegal se pretende consumar desde la clandestinidad; en el ilícito que nos ocupa, el inmigrante abandona la pasividad de las conductas descritas y pasa a intentar vencer abiertamente las defensas fronterizas, en flagrante contradicción con las fuerzas del orden actuantes y adoptando frente

el legislador en reformar la LOEx y dar cobertura legal a la actuación de las FCS. En efecto la disposición final primera de la Ley Orgánica 4/2015, de 30 de marzo, de Protección de la Seguridad Ciudadana, adiciona una disposición adicional décima a la LOEx con el siguiente tenor literal[157]:

> 1. *Los extranjeros que sean detectados en la línea fronteriza de la demarcación territorial de Ceuta o Melilla mientras intentan superar los elementos de contención fronterizos para cruzar irregularmente la frontera podrán ser rechazados a fin de impedir su entrada ilegal en España.*
>
> 2. *En todo caso, el rechazo se realizará respetando la normativa internacional de derechos humanos y de protección internacional de la que España es parte.*

---

a ellos una conducta violenta que se materializa, principalmente, en el uso consciente e intencionado de la ventaja del número. GRACIA PÉREZ DE MERGELINA, D. <<El <<rechazo>> de inmigrantes... *op. cit.*

[157] Durante su paso por el Senado, el Grupo Parlamentario Popular añadió, en respuesta a las demandas de ACNUR, un apartado 4.º. En él se gravaba al Ministerio del Interior con la obligación de aprobar un protocolo que explicitase la actuación de las Fuerzas y Cuerpos de Seguridad españolas, especialmente de la Guardia Civil, a la hora de poner en práctica la nueva figura del «rechazo en frontera» en el perímetro fronterizo de Ceuta y Melilla. Este último inciso no superaría, sin embargo, el trámite parlamentario; siendo suprimido por el mismo grupo parlamentario que lo incluyó, por considerar, según declaraciones del Senador Aznar, «técnicamente» innecesario citar dicho protocolo en la Ley. Vid. Proyecto de Ley Orgánica de Protección de la Seguridad Ciudadana, «Enmiendas», BOCG. Senado, núm. 469, p. 144; también el Proyecto de Ley Orgánica de Protección de la Seguridad Ciudadana, «Dictámenes de Comisiones», Diario de sesiones del Senado, Pleno, núm. 147, X legislatura, 12 de marzo de 2015, p. 14.076. GONZÁLEZ GARCÍA, J. <<Rechazo en las fronteras exteriores europeas con Marruecos: inmigración y derechos humanos en las vallas de Ceuta y Melilla, 2005-2017>> *Revista General de Derecho Europeo* núm. 43. 2017.

> *3. Las solicitudes de protección internacional se formalizarán en los lugares habilitados al efecto en los pasos fronterizos y se tramitarán conforme a lo establecido en la normativa en materia de protección internacional.*

Esta reforma normativa otorga la cobertura legal que los efectivos de la Guardia Civil necesitaban para ejercer sus funciones. De hecho, este es el fundamento jurídico en que se ampara la Sentencia del Tarajal para considerar que la devolución no integra el tipo penal de la prevaricación.

Hasta esta reforma, la manera de defender la actuación de la Guardia Civil —mientras sus efectivos sufrían imputaciones judiciales— ha sido desarrollando el "concepto operativo de frontera". En efecto el Ministerio del Interior defendía que sólo se entiende consumada la entrada ilegal cuando el inmigrante ha conseguido rebasar la última valla perimetral, resultándole entonces aplicable el proceso de devolución. Antes de ese momento no quedaría sujeto al régimen general que establecía la legislación en materia de extranjería, por cuanto no está en España[158].

Esta teoría de la concepción operativa de la frontera no deja de ser un debate de ideas que no siempre ha resultado convincente a Jueces y Magistrados. En ocasiones esta acepción se ha rechazado abiertamente para entender que la devolución de extranjeros era contraria al ordenamiento jurídico (el Auto de la Audiencia Provincial de Málaga 83/2015 referido), y en otras ocasiones ha sido admitido: la misma Audiencia Provincial de Málaga, Sección 7ª, de Melilla, en Auto 437/2014, de 7 de abril de 2015, FJ 5.º, considera que la definición de frontera mantenida por el

---

[158]   *Vid.* CONGRESO DE LOS DIPUTADOS, <<Comparecencia del Sr. Ministro del Interior (Fernández Díaz)>>, Diario de Sesiones del Congreso de los Diputados. Comisiones, núm. 500, de 13 de febrero de 2014. Pág. 7.

Ministerio del Interior «en sí misma considerada no es arbitraria, ni absurda o ilógica, y se adecúa a la propia naturaleza y finalidad del control fronterizo al que está destinada la valla. (...) Se trata de un concepto desconocido en la legislación, criticado pero no prohibido».

En agosto de 2018, después de asaltos masivos a las vallas de Ceuta y Melilla durante meses, en los que la entrada de inmigrantes llegó a alcanzar en algún caso las seiscientas personas, arrojando a los agentes de la Guardia Civil excrementos, cal viva... España procedió a la devolución de más cien inmigrantes que habían atravesado masivamente la frontera el día anterior. Esta devolución no se hizo al margen de cualquier procedimiento, sino que se dio asistencia jurídica a los inmigrantes mediante doce letrados, se les tomó declaración y se les identificó, y acto seguido se les trasladó a Marruecos[159].

En cualquier caso, no podemos por menos que celebrar la reforma legislativa, que de una vez por todas habilita de manera clara al efectivo policial a hacer lo que hasta ahora hacía mediante meras órdenes de servicio incompatibles con el dato positivo de la ley. Y este es el ejemplo que debiera seguirse para cualquier actuación policial, evitando que un agente se halle en la soledad de tener que tomar decisiones en momentos muy difíciles, en los que corre peligro su integridad física y hasta su vida, sin que el ordenamiento le otorgue la cobertura legal que necesita para ejercer legítimamente sus funciones.

3. USO DE ARMAS DE DESCARGA ELÉCTRICA

Las armas de electrochoque —conocidas como pistolas eléctricas o pistolas de corriente— forman parte del

---

[159] Mediáticamente esta actuación se justificó de acuerdo con un Acuerdo sobre readmisión de extranjeros de 17 de marzo de 1992.

capítulo de lagunas jurídicas. Pese a que su existencia no constituye novedad, sí que es reciente su incorporación a las herramientas de que disponen las fuerzas y cuerpos de seguridad. Tienen un efecto menos lesivo que las armas de fuego, si bien no están exentas de polémica.

Las pistolas de corriente —a las que hay que añadir defensas eléctricas como puños, porras, varas y basto-nes eléctricos, como también abrazaderas y cinturones de electrochoque paralizantes por control remoto— tie-nen un efecto de inmovilización de la víctima, por cuanto lanzan dos dardos de 50.000 V, que al contacto con un cuerpo vivo se reducen a 400 V, con una corriente de 2'1 AM y un alcance de 7'6 metros. La porra de descarga eléctrica, con menor potencia, contiene 7.200 V[160].

Como decimos, no existe una regulación específica de estas armas; el Reglamento de Armas las cita en su art. 5.1.j en el sentido de que prohíbe su publicidad, com-praventa, tenencia y uso, salvo por funcionarios especial-mente habilitados. La controversia estriba en que —pese a que no tiene consecuencias letales para la víctima— sí que en algún caso la descarga eléctrica ha derivado en el fallecimiento del agredido, de ahí que se haya cuestiona-do su uso desde la perspectiva de los derechos humanos.

De nuevo la falta de regulación administrativa aboca al efectivo policial en el ejercicio de su función —y al operador jurídico que deba enjuiciar su actuación— a acudir al principio de proporcionalidad.

El Tribunal Supremo, Sala Quinta, de lo Militar, en Sentencia 31/2018 de 22 de marzo de 2018 (rec. 100/2017) confirmó la sanción disciplinaria de separa-

---

[160] La marca más conocida de pistolas eléctricas, como se las conoce comúnmente es la pistola Taser, cuyo nombre viene del acrónimo del título de la novela "Tom Swift y su rifle eléctrico", escrita en 1911 por autores del Stratemeyer Syndicate con el seudónimo de Victor Appleton.

ción del servicio a un miembro de la Guardia Civil por usar descargas eléctricas en el interior de un vehículo policial y posteriormente abandonarlo en la vía pública.

El uso de defensas eléctricas se concibe como una alternativa al uso de la fuerza y lógicamente tiene un efecto menos lesivo sobre la víctima, al tiempo que permite al efectivo policial ejercer su función ejecutiva con mayor seguridad física y jurídica.

VII. CONCLUSIONES: HACIA UN DERECHO ADMINISTRATIVO ESPECIAL DE POLICÍA

Cuatro décadas después de que el profesor Carro denunciara una carencia de tratamiento global de la coacción directa en nuestro país, con la única excepción del análisis de García de Enterría, el diagnóstico presente no es ni un solo ápice más alentador. Y ello a pesar de que las situaciones que requieren el uso de la fuerza se han multiplicado exponencialmente.

No se aprecia en el derecho positivo una voluntad de afrontar la situación. En cambio, se articulan medidas originales, no exentas de plasticidad, como las patrullas conjuntas de FCS de distintos Estados miembros de la Unión Europea al amparo del Tratado de Prüm, como si se tratara de la panacea para la lucha contra el delito[161].

---

[161] El Tratado de Prüm es un Tratado internacional entre estados miembros de la Unión Europea de fecha 27 de mayo de 2005, ratificado por España el 18 de julio de 2006, relativo a la profundización de la cooperación transfronteriza, en particular en materia de lucha contra el terrorismo, la delincuencia transfronteriza y la migración ilegal. Su art. 24 permite las patrullas conjuntas de FCS de otros estados. Esta medida se utiliza en zonas turísticas en función del porcentaje de turistas de un determinado Estado, de manera que la Guardia Civil patrulla con bobbies británicos en Magaluf (Mallorca) o la gendarmería francesa o los carabinieri italianos en otras zonas donde existe una mayor presencia de ciudadanos de esas respectivas nacionalidades. La finalidad no es otra que los súbditos de esos Estados se sientan vigilados por su propia policía, si bien la imagen que dan los medios es que los turistas se fotografían en la playa con sus policías.

El legislador sigue ajeno a una problemática acuciante de orden práctico, que afecta a las FCS, expuestas en el ejercicio de sus funciones no sólo a un peligro físico evidente, sino también a una inseguridad jurídica de notables proporciones. Los efectivos policiales en nuestro país no sólo arriesgan su vida y su integridad física a diario, sino también su seguridad jurídica, es decir, su imputación y condena en un procedimiento penal por el hecho de velar por el interés general y la seguridad ciudadana.

Un Estado que no es capaz de hacer uso de la fuerza legítima cuando la misma se encuentra justificada, da muestras de una inusitada debilidad, frente a la que se alzan y fortalecen fines espurios. Y ello afecta sobre manera a la seguridad ciudadana de la población en general.

Las medidas tendentes a preservar la seguridad de un país deben ser compatibles con los derechos y libertades de los ciudadanos[162], de manera que el equilibrio entre la seguridad colectiva y la libertad individual —aun cuando sea difícil— debe ser posible.

De la misma manera que la doctrina ha criticado abiertamente que no existe un corpus doctrinal en materia de responsabilidad patrimonial[163] o de derecho administrativo sancionador[164], igualmente debemos llamar la atención sobre la orfandad de una normativa sobre la actuación de las FCS.

El ejercicio de la coacción directa por el Estado no puede ser visto exclusivamente como una restricción de derechos, generando como reacción el derecho de resis-

---

[162]   RUIZ MIGUEL, C. *Servicios de inteligencia y Seguridad del Estado Constitucional.* Tecnos. Madrid, 2002. Pág. 14.

[163]   NIETO, A. <<La relación de causalidad en la ... *op. cit.* Pág. 93.

[164]   NIETO, A. *Derecho administrativo sancionador.* Tecnos. 2012. SUAY RINCÓN. J. <<El derecho administrativo sancionador... *op . cit.* Págs. 185 y ss.

tencia[165] (incluso violenta) frente a las estructuras del Estado (en concreto, las FCS) para garantizar determinados posicionamientos y actitudes como la ocupación de viviendas, la instalación de símbolos ideológicos en la vía pública, cuando no el destrozo de mobiliario urbano.

Las relaciones entre Estado y sociedad, como las propias entre moral y Derecho y entre el poder y la prosperidad, no pueden reducirse al simplismo de las alegorías del buen y del mal gobierno[166]. El uso de la fuerza por parte del Estado es legítimo (las FCS son las depositarias de esta atribución) y conforme a Derecho si se lleva a cabo en los supuestos necesarios y en la forma (proporcionalidad) prevista. En estos casos la fuerza no restringe derechos, sino que, al contrario, hace posible la libertad de los ciudadanos frente a quienes la impiden en un contexto más amplio de seguridad ciudadana.

Urge en consecuencia revisar el régimen jurídico del uso de la fuerza al objeto de dotar al ordenamiento de

---

[165]   DWORKING, R. *Los derechos en serio*. Ariel. Barcelona, 1984.

[166]   En el preámbulo al libro de Mancur Olson *Poder y prosperidad*, Charles Cadwell describe los frescos que la República de Siena encargó en torno a 1340 al pintor Ambrogio Lorenzetti para decorar el Consejo de los Nueve (hoy sede del Ayuntamiento de Siena). En los frescos de Lorenzettiel Mal Gobierno, representado por la figura de la Tiranía sentada ante un ruinoso muro de la ciudad, se rodea de la Crueldad, Traición, Engaño, Furor, División, Guerra, Avaricia, Orgullo y Jactancia. Diversas escenas de pillaje, crimen, justicia maltrecha, pintadas con expresivo dramatismo, completan la alegoría. En la pared de la derecha un anciano encarna el Bien Común como rector del buen gobierno, y se rodea de la Sabiduría, la paz, la Justicia, la fe, la Caridad, la Magnanimidad, y la Concordia. En la Alegoría del Buen Gobierno destacan dos grupos: uno de soldados y prisioneros, y otro de consejeros. En el libro de Olson estos argumentos reciben el tratamiento del ejercicio del poder y el papel de la ciudadanía en el proceso. OLSON, M. *Poder y prosperidad. La superación de las dictaduras comunistas y capitalistas*. Siglo Veintiuno de España Editores. Madrid, 2001. Págs. VII y VIII.

una regulación clara, alejada de dudas interpretativas y de criterios axiológicos dispares y cambiantes.

Esta regulación debe abordarse en el seno del derecho administrativo, porque la actuación de las FCS constituye un acto administrativo sometido a un procedimiento. Por las razones ante dichas esta actuación reviste una especialidad en el seno del ordenamiento jurídico administrativo, de manera que el legislador debería abordar esta regulación en un contexto más específico de un derecho administrativo especial de policía o de seguridad, con una sistemática en torno a la legislación de seguridad ciudadana y la responsabilidad disciplinaria de los miembros de las FCS, articulado en su conjunto todo el régimen que afecta a la actuación policial, la práctica de la detención, la confección del atestado policial, el uso de las defensas y del arma reglamentaria, incluidas las formas de atentado a la autoridad.

Hacen falta reglas claras que minimicen el riesgo de los agentes a cometer errores, ya sean delitos o daños. Como también el legislador debe abordar la procedimentalización de la coacción, es decir, la formación de un acto administrativo peculiar.

A día de hoy las FCS corren el peligro de ver limitadas sus facultades de intervención porque su actuación se ve continuamente cuestionada. La situación es que los efectivos policiales deben aguantar todo tipo de agresiones, identificar a los agresores y formular denuncia por infracción administrativa o penal tipificados en la Ley Orgánica de Seguridad Ciudadana o en el Código Penal. Se está instaurando una tolerancia a la agresión a los agentes, que alienta a los alborotadores, satura departamentos de sanciones de las Delegaciones del Gobierno y Tribunales, y desde luego resulta socialmente poco edificante para los ciudadanos apreciar en los medios que los agentes son vilipendiados sin el más mínimo pudor.

No podemos mantener la actuación policial bajo el manto acaparador del procedimiento administrativo. El ordenamiento ha relegado la intervención de las FCS a una función meramente procedimental: la de identificar a infractores y delincuentes y trasladar denuncia para que se inicie un procedimiento punitivo. Causa hilaridad que los efectivos policiales no puedan repeler las agresiones que sufren, y tengan que limitarse a identificar a los agresores y dirigir denuncia a la delegación del Gobierno o al Ministerio Fiscal. El balance, desalentador, no es otro que el procedimiento ha anulado el uso de la fuerza legítima.

El uso de la fuerza sencillamente se halla mal vista, cuando resulta imprescindible para el mantenimiento del orden público. Lo contrario consiste en creer en una arcadia imposible. Se obliga a que los agentes incluyan su número de identificación para exigirles responsabilidades en caso de excederse en el uso de la fuerza, y en cambio existen alborotadores profesionales, conocedores de técnicas de guerrilla, que se desplazan de un país a otro en busca de manifestaciones en las que provocar altercados, destrozos de mobiliario urbano y verdaderas batallas campales con las FCS.

En definitiva esta situación —insostenible— requiere la intervención del legislador con la creación de un derecho administrativo especial de policía, que tenga cabida en el ordenamiento jurídico como un derecho especial del sector público. Resulta imprescindible colmar esta laguna jurídica de forma inmediata.

BIBLIOGRAFÍA

ACOSTA PENCO, T. <<Rechazo en frontera y derechos humanos>> *Revista Española de Derecho Administrativo* núm. 193. Julio-septiembre 2018. Págs. 275 a 307.

ABOGACÍA DEL ESTADO. *Novedades en el Procedimiento Administrativo y en el Régimen del Sector Público.* Francis Lefebvre. Madrid, 2016.

AGUIRREAZKUÉNAGA ZIGORRAGA, I. –GARCÍA DE ENTERRÍA MARTÍNEZ-CARANDE, E. La coacción administrativa directa. Civitas. Madrid, 1990.

ALARCÓN SOTOMAYOR, L. <<Los confines de las sanciones: en busca de las fronteras entre Derecho penal y derecho administrativo sancionador>> *Revista de Administración Pública* núm. 195. 2014. Págs. 135 a 167.

ANSUÁTEGUI ROIG, F. J. <<Una ocasión perdida: la Sentencia Armani da Silva v. Reino Unido (TEDH)>> *El Cronista del Estado Social y Democrático de Derecho* núm. 73. Enero, 2018. Págs. 48 a 55.

ARROYO JIMÉNEZ, L. <<Ponderación, proporcionalidad y derecho administrativo>>. En ORTEGA ÁLVAREZ, L. – DE LA SIERRA, S. *Ponderación y Derecho administrativo.* Marcial Pons. Madrid, 2009. Págs. 19 a 49.

AVEZUELA, J. <<Seguridad ciudadana: una perspectiva desde el Derecho administrativo sancionador>> En BAUZÁ MARTORELL, F. J. (Dir.) *Derecho administrativo y derecho penal: reconstrucción de los límites.* Bosch-Wolters Kluwer. 2017. Págs. 237 a 250.

BAÑO LEÓN, J. M. <<La reforma del procedimiento. Viejos problemas no resueltos y nuevos problemas no tratados>>. *Documentación Administrativa.* Nueva Época. Núm. 2. INAP. 2015.

BARCELONA LLOP, J. *Policía y Constitución.* Tecnos. Madrid, 1997.

BARCELONA LLOP, J. "La ejecución forzosa de los actos administrativos: régimen general. La prohibición de acciones posesorias". En GAMERO CASADO (Director) *Tratado de procedimiento administrativo común y régimen jurídico básico del sector público.* Tirant lo blanc. Tomo II. Valencia, 2017.

BARCELONA LLOP, J. <<La acción de regreso en la Ley de Régimen Jurídico de las Administraciones Públicas y del Procedimiento Administrativo Común>> *Revista Española de Derecho Administrativo* núm. 105. Enero-marzo 2000. Págs. 37 a 57.

BARCELONA LLOP, J. <<Sobre las funciones y organización de las fuerzas de seguridad: presupuestos constitucionales, problemática jurídica y soluciones normativas>> *Revista Vasca de Administración Pública* núm. 29. Oñati. Enero-abril 1991. Págs. 9 a 41.

BARCELONA LLOP, J. <<Responsabilidad por daños derivados de actuaciones policiales>> *Documentación administrativa* núm. 237-238. Enero-junio 1994. Págs. 333 a 390.

BARCELONA LLOP, J. <<Policía de seguridad y responsabilidad patrimonial de las Administraciones Públicas>> *Revista Aragonesa de Administración Pública* núm. 2. 1993. Págs. 51 a 134.

BASSOLS COMA, M. *La Jurisprudencia del tribunal de Garantías Constitucionales de la II República Española.* Centro de Estudios Constitucionales. Madrid, 1981.

BAUZÁ MARTORELL, F. J. (Director) *Derecho administrativo y derecho penal. Reconstrucción de los límites.* Bosch-Wolters Kluwer. Barcelona, 2017.

La presunción de culpa en el funcionamiento de los servicios públicos. Civitas – Thomson Reuters. Cizur Menor, 2017.

—, <<La injerencia penal en la invalidez administrativa>> En LÓPEZ RAMÓN, F. –VILLAR ROJAS, F. (Coords.) *El alcance de la invalidez de la actuación administrativa. Actas del XII Congreso de la Asociación Española de Profesores de Derecho Administrativo.* INAP. Madrid, 2017. Págs. 117 a 124.

BIONDO, F. *Desobediencia civil y teoría del derecho. Tomar los conflictos en serio.* Centro de Estudios Políticos y Constitucionales. Madrid, 2016.

BONANNO, E. R. <<An Evidential Review of Police Misconduct: Officer versus Organization>>. *2015 Undergraduate Awards.* Paper 9.

BOUAZZA ARIÑO, O. <<Notas de jurisprudencia del Tribunal Europeo de Derechos Humanos>>. Revista de Administración Pública núm. 218. Mayo-agosto 2022. Págs. 293 a 295.

—, <<Incumplimiento de la obligación de llevar a cabo una investigación adecuada en asuntos referidos a tratos degradantes>> *Revista de Administración Pública* núm. 189. Madrid. Septiembre-diciembre, 2012. Págs. 308 a 311.

CANO CAMPOS, T. <<El concepto de sanción y los límites entre el Derecho penal y el Derecho administrativo sancionador>> En BAUZÁ MARTORELL, F. J. (Dir.) *Derecho administrativo y derecho penal: reconstrucción de los límites.* Bosch-Wolters Kluwer. Madrid, 2017. Págs. 207 a 236.

—, <<Prevenir y cachear: los registros corporales externos>> en IZQUIERDO CARRASCO, M. y ALARCÓN SOTOMAYOR, L. (Dirs.) *Estudios sobre la ley orgánica de seguridad ciudadana.* Aranzadi. Cizur Menor, 2019. Págs. 677 a 708.

CARRER, F. – SALOMON, J. C. (Coords.) *L'ordine pubblico. Un equilibrio fra il disordine sopportabile e l'ordine indispensabile.* Ed. Franco Angeli. Milà, 2011.

CARRO FERNÁNDEZ-VALMAYOR, J. L. <<Sobre responsabilidad administrativa y coacción directa>> *Revista de Administración Pública* núms. 100-102. Enero-diciembre 1983. Págs. 1171 a 1215.

CARRO FERNÁNDEZ-VALMAYOR, J. L. <<Los problemas de la coacción directa y el concepto de orden público>> *Revista Española de Derecho Administrativo* núm. 15. Madrid, 1977. Págs. 605 a 628.

CARRO FERNÁNDEZ-VALMAYOR, J. L. <<Sobre responsabilidad administrativa y coacción directa>> *Revista de*

Administración Pública núm. 100-102, enero-diciembre, 1983.

CARRO FERNÁNDEZ-VALMAYOR, J. L. <<La polémica europea sobre el uso de las armas como forma de coacción administrativa>> *Revista de Administración Pública* núm. 84. Septiembre-diciembre, 1977. Págs. 77 a 120.

CASINO RUBIO, M. *Responsabilidad civil de la Administración y delito*. Marcial Pons. Madrid, 1998.

CENDOYA MÉNDEZ DE VIGO, J. M. <<La responsabilidad civil subsidiaria del Estado: especial referencia a los delitos cometidos por las fuerzas y cuerpos de seguridad del Estado (análisis de la jurisprudencia del Tribunal Supremo)>> *Actualidad penal*. Marzo 1997.

COBO OLVERA, T. <<La potestad de desahucio administrativo de las entidades locales>> *Actualidad administrativa* núm. 44. 1992. Págs. 517 a 530.

DE LA SERNA SANDOVAL, C. <<Control de la inmigración en la vía pública: cuando el color de la piel es la frontera>>. En LÓPEZ SALA, A. M. – GODENAU, D. (Coords) *Estados de contención, estados de detención. El control de la inmigración irregular en España*. Anthropos. Barcelona, 2017. Págs. 75 a 96.

DE LA VALLINA VELARDE, J. L. <<Responsabilidad patrimonial de autoridades y funcionarios. *Revista de Estudios de la Administración Local y Autonómica* núms. 274-275. INAP, 2001-2003. Págs. 331 a 360.

DOMÉNECH PASCUAL, G. <<Responsabilidad patrimonial de la Administración por actos jurídicos ilegales ¿Responsabilidad objetiva o por culpa?>> *Revista de Administración Pública* núm. 183. Madrid, septiembre-diciembre 2010. Págs. 179 a 231.

DOMÍNGUEZ, J. F., «Asalto a la valla y quiebra de Derecho», FRIDE, 2005.

DWORKING, R. *Los derechos en serio*. Ariel. Barcelona, 1984.

ENTRENA CUESTA, R. <<Límites a la actividad de policía municipal>> *Revista de Estudios de la Vida Local* núm. 126. 1962. Págs. 802 a 816.

ENTRENA CUESTA, R. *Apuntes de Derecho administrativo. Parte especial.* Madrid, 1958-1959. Págs. 11 a 50.

ENTRENA CUESTA, R. <<Notas sobre el concepto de Estado de Derecho>> *Revista de Administración Pública* núm. 33. Septiembre/diciembre, 1960. Págs. 31 a 45.

FERNÁNDEZ FARRERES, G. <<Responsabilidad patrimonial de la Administración derivada del uso de las armas por los agentes públicos>> *Revista Española de Derecho Administrativo* núm. 34. 1982. Págs. 497 a 504.

FERNÁNDEZ RODRÍGUEZ, T. R. <<Las medidas de policía: su exteriorización e impugnación>> *Revista de Administración Pública* núm. 61. Enero-abril, 1970. Pág. 138.

FLEINER, F. *Institutionen des deutschen Verwaltngsrecht.* Aalen. Tübingen, 1963.

FORSTHOFF, E. V. *Lehrbuch des Verwaltungsrechts* I. Beck. Muncih, 1973.

FRAGOLA, U. *Gli atti amministrativi.* Jovene. Torino, 1952.

FUNK, Ch. *Der verfahrensfreie Verwaltungsakt.* Springer-Verlag. Viena-Nueva York, 1975.

GARCÍA DE ENTERRÍA, E. *La lucha contra las inmunidades del poder.* Civitas. Madrid, 2016.

GARCÍA DE ENTERRÍA, E. *Revolución francesa y Administración contemporánea.* Civitas. 4ª edición. Madrid. 2011.

GARCÍA DE ENTERRÍA, E. *Los principios de la nueva Ley de Expropiación Forzosa.* Thomson Civitas. Madrid, 2006.

GARCÍA DE ENTERRÍA, E. <<Sobre los límites del poder de policía general y del poder reglamentario>> *Revista Española de Derecho Administrativo* núm. 5. 1975. Págs. 203 1 214.

GARCÍA DE ENTERRÍA, E. -FERNÁNDEZ, T. R. *Curso de Derecho Administrativo.* Civitas. 17ª edición. Madrid, 2015. Pág. 750.

GARCÍA DE ENTERRÍA, E. <<Sobre los límites del poder de policía general y del poder reglamentario>> *Revista Española de Derecho Administrativo* núm. 5. 1975. Págs. 203 a 214.

GARCÍA DE ENTERRÍA, E. *La construcción técnica del principio de legalidad de la Administración. Miscelánea en honor a Juan Becerril.* Madrid, 1974.

GARCÍA DE ENTERRÍA, E. <<La responsabilidad del Estado por comportamiento ilegal de sus órganos en Derecho español>> *Revista de Derecho Administrativo y Fiscal* núm. 7. 1964.

GARCÍA GONZALO, T. "Actuaciones policiales" En MARTÍN REBOLLO, L. (Dir.) *La responsabilidad patrimonial de las Administraciones Públicas.* Consejo General del Poder Judicial. Madrid, 1996. Págs. 123 a 152.

GARCÍA ROCA, J. (y otros). <<Jurisprudencia del Tribunal Europeo de derechos Humanos>>. *Revista Española de Derecho Administrativo* núm. 178. 2016.

GARRIDO FALLA, F. <<Las transformaciones del concepto jurídico de policía administrativa>> *Revista de Administración Pública* núm. 11. Mayo-agosto, 1953.

GARRIDO FALLA, F. <<Los medios de la policía y la teoría de las sanciones administrativas>> *Revista de Administración Pública* núm. 28. Enero-abril, 1959.

GIANINI, M. S. *Lezioni di Diritto amministrativo.* Milán, 1956.

GONZÁLEZ BOTIJA, F. *Orden público y libertad (Vestimenta, comunicación comercial y audiovisual, ocio y banderas).* Atelier. Barcelona, 2018.

GONZÁLEZ GARCÍA, J. <<Rechazo en las fronteras exteriores europeas con Marruecos: inmigración y derechos humanos en las vallas de Ceuta y Melilla, 2005-2017>> *Revista General de Derecho Europeo* núm. 43. 2017.

—, <<Expulsiones en caliente, devoluciones y petición de asilo en Ceuta y Melilla>> *Revista de Administración Pública* núm. 196. Enero-abril 2015. Págs. 309 a 329.

GONZÁLEZ PÉREZ, J. *El procedimiento administrativo.* Madrid, 1964. Pág. 339.

GOSÁLBEZ PEQUEÑO, H. *La recuperación posesoria de los bienes de las entidades locales.* Marcial Pons. Madrid, 2010.

GRACIA PÉREZ DE MERGELINA, D. <<El rechazo de inmigrantes irregulares en las fronteras de Ceuta y Melilla>> *Diario La Ley* núm. 9057. Wolters Kluwer. 9 de octubre de 2017.

GUERRERO AGRIPINO, L. F. – SANTIAGO ÁLVAREZ, A de. <<El uso legítimo de la fuerza policial: breve acercamiento al contexto mexicano>> *Ciencia Jurídica* Año 1, núm. 3. Universidad de Guanajuato.

GUILLÉN LASIERRA, F. *Desencuentros entre la policía y el público. Factores de riesgo y estrategias de gestión.* Bosch. Barcelona, 2018.

GUTIÉRREZ GIL, A. J. "La responsabilidad civil subsidiaria del Estado en el proceso penal" En AA.VV. *La responsabilidad patrimonial del Estado.* Boletín del Ilustre Colegio de Abogados de Madrid núm. 24. 2003. Tomo II. Págs. 263 a 286.

HERNÁNDEZ-PINZÓN GARCÍA, A. <<El derecho constitucional a las armas en EEUU>> *Revista Jurídica de la Universidad Autónoma de Madrid* núm. 21. 2010-I. Págs. 133 a 148.

HUTSON, H. R. ANGLIN, D. – TARBROUGH, J. HARDAWAY, K. RUSSELL, M. – STROTE, J. – CANTER, M. – BLUM, B. <<Suicide by cop>> *Annals of Emergency Medicine*, 32. 1998. Págs. 665 a 669.

IBARRA SÁNCHEZ, J. L. <<Práctica procesal y bien jurídico protegido del delito de usurpación inmobiliaria del artículo 245.2 del Código Penal, tras la Ley Orgánica 1/2015, de 30 de marzo>> *Revista Aranzadi Doctrinal* núm. 5/2015. Aranzadi.

JAREÑO LEAL, A. <<La discutible legitimidad de la "invitación" a trasladarse a dependencias policiales realizada al sospechoso de delito>> *El Cronista del Estado Social y Democrático de Derecho* núm. 75. Mayo 2018. Págs. 16 a 21.

JAREÑO LEAL, A. <<La detención ilegal cometida por funcionario público: tipos delictivos y criterios para su aplicación>> *Revista General de Derecho Penal* núm. 27. 2017.

JELLINEK, W. *Verwaltungsrecht.* Gehlen. 1966.

JENKINS, J. A. *The American courts. A procedural approach.* Jones and Bartlett Publishers. Sudbury, 2009.

JIMÉNEZ ASENSIO, R. *Convivir en la ciudad.* Fundación Democracia y Gobierno Local/FEMP. Madrid/Barcelona, 2011.

JIMÉNEZ-BLANCO CARRILLO DE ALBORNOZ, A. <<Responsabilidad administrativa por culpa "in vigilando" o "in ommittendo">>. *Poder Judicial* núm. 2. 1986. Págs. 117-128.

LAVEAGA, G. (*et alteri*) *El uso de la fuerza pública en un Estado democrático de Derecho.* Memoria del Congreso Internacional. Instituto Nacional de Ciencias Penales. Méjico, 2011.

LEGUINA VILLA, J. *La responsabilidad civil de la Administración pública. Su formulación en el Derecho italiano y análisis comparativo con los ordenamientos francés y español.* Madrid. Tecnos, 1970.

LLOVERAS I FERRER, M. R. <<Policías que disparan. Los daños causados por armas de fuego utilizadas por la policía>> *InDret* 1/2000.

MAGRO SERVET, V. <<Soluciones ante la presencia de okupas, pisos patera y defraudación de fluido eléctrico en las comunidades de vecinos>> *Diario La Ley* núm. 8225. 9 de enero de 2014.

MANTECA VALDELANDE, V. <<La compulsión sobre las personas como instrumentos ejecutivo de la Administración Pública>> *Actualidad Administrativa* núm. 16. Sección Práctica profesional. Quincena del 16 al 30 de septiembre de 2011. Pág. 2123. Tomo 2. La Ley.

MANZANO SOUSA, M. *Comentarios a la Sentencia del Tribunal Europeo de Derechos Humanos de 27 de septiembre de 1995 (Caso McCann y otros contra Reino Unido). La fuerza armada en un caso límite: la amenaza terroristas en Gibraltar.* Dykinson, 2001.

MARTÍ MARTÍ, J. <<Proceso de desahucio frente a los colectivos ocupas>> *Diario La Ley* núm. 7442. 9 de julio de 2010.

MARTÍ MARTÍ, J. <<Los colectivos ocupas y la respuesta del Derecho Penal>> *Diario La Ley* núm. 7556. 27 de enero de 2011.

MARTÍN REBOLLO, L. *La responsabilidad patrimonial de la Administración en la jurisprudencia.* Civitas. Madrid, 1977.

MARTÍN-RETORTILLO BAQUER, L. <<Notas para la historia de la noción de orden público>> *Revista Española de Derecho Administrativo* núm. 36. 1983. Págs. 19 a 38.

MARTÍNEZ GUILLEM, R. <<Comentario sobre la Sentencia del Tribunal Europeo de Derechos Humanos de 4 de mayo de 2001>> *Anuario Español de Derecho Internacional* núm. 18. 2002. Págs. 255 a 278.

MARTÍNEZ MERCADO, F. *Uso de la fuerza.* Instituto de Asuntos Públicos. Universidad de Chile.

MAYER, O. *Derecho administrativo alemán.* Depalma. 2ª edición. Buenos Aires, 1982.

MAYER, O. *Deutches Verwaltungsrecht.* Duncker-Humboldt. Berlín, 1969. Pág. 271.

MELERO ALONSO, E. <<Las identificaciones policiales con perfil racial o étnico como instrumento de control migratorio: derecho administrativo del enemigo>> *Revista Española de Derecho Administrativo* núm. 193. Julio-septiembre 2018. Págs. 243 a 274.

MELERO ALONSO, E. <<El retorno en frontera en Ceuta y Melilla (o las "expulsiones en caliente"): un supuesto de derecho administrativo del enemigo>> *Revista Española de Derecho Administrativo* núm. 174. Octubre-diciembre 2015. Págs. 401 a 433.

MERKEL, L. *Derechos humanos e intervención policial.* Marcial Pons. Madrid, 2022.

MESTRE DELGADO, J. F., «Art. 57. Expulsión del territorio», en: ESPLUGUES MOTA, C. (Coord.), Comentarios a la Ley de Extranjería. Tirant lo Blanch. Valencia, 2006.

MONCADA LORENZO, A. <<Significado y técnica jurídica de la policía administrativa>> *Revista de Administración Pública* núm. 28. Enero-abril, 1959. Pág. 65.

MUÑOZ MACHADO, S. *Diccionario del Español Jurídico.* Real Academia Española. Consejo General del Poder Judicial. Madrid, 2016.

NAVARRO MUNUERA, A. E. <<La ampliación de la responsabilidad patrimonial de la Administración a los daños ocasionados por sus funcionarios o agentes actuando al margen del servicio público>> *Revista Española de Derecho Administrativo* núm. 60. 1988. Págs. 603 a 610.

NIETO, A. *Derecho administrativo sancionador.* Tecnos. 2012.

—, *Crítica de la razón jurídica.* Trotta. Madrid, 2007. Págs. 81 y ss.

—, <<Algunas precisiones sobre el concepto de policía>> *Revista de Administración Pública* núm. 81. Septiembre-diciembre, 1976.

—, <<La relación de causalidad en la responsabilidad del Estado>> *Revista Española de Derecho Administrativo* núm. 4. 1975. Págs. 90 a 95.

NOPPE, J. <<The Use of Force by Police Officers. What is the Role of Moral Beliefs?>> *European Journal of Policing Studies*, 3 (3). Págs. 315 a 341.

OLIVER ARAUJO, J. <<Las Cortes en la Segunda República Española: luces y sombras 85 años después>> *Revista de Derecho Político* núm. 102. Mayo-agosto 2018. Págs. 15-46.

OLSON, M. *Poder y prosperidad. La superación de las dictaduras comunistas y capitalistas.* Siglo Veintiuno de España Editores. Madrid, 2001.

ORTEGA BERNARDO, J. *Derechos fundamentales y ordenanzas locales.* Marcial Pons. Madrid, 2014.

PARADA VÁZQUEZ, R. *Derecho Administrativo. Tomo II. Régimen jurídico de la actividad administrativa.* Marcial Pons. Madrid, 2017.

PAWLIK, M. <<Una teoría del estado de necesidad exculpante>> *InDret: Revista para el Análisis del Derecho* núm. 4. 2015.

PLASENCIA DOMÍNGUEZ, N. <<Jurisdicción penal y medidas repatriativas de extranjería>> *Diario La Ley* núm. 8984. Wolters Kluwer. 22 de mayo de 2017.

PONCE SOLÉ, J. << ¿Hacia un nuevo concepto europeo de orden público? A propósito de la Sentencia del Tribunal Europeo de Derechos Humanos de 2014 sobre el burka: ¿Obligación jurídica de vivir juntos o Derecho a autoexcluirse y ser un "outsider"?>> *Revista Española de Derecho Administrativo* núm. 170. Civitas, 2015. Págs. 215-240.

REBOLLO PUIG, M. <<La peculiaridad de la policía administrativa y su singular adaptación al principio de legalidad>> *Revista Vasca de Administración Pública* núm. 54. 1999. Págs. 247 a 282.

REBOLLO PUIG, M. <<La protección administrativa del espacio público. En particular, mediante sanciones>> En CIERCO SEIRA Y OTROS (Coords.) *Uso y control del espacio público: viejos problemas, nuevos desafíos.* Aranzadi. Cizur Menor, 2015.

REBOLLO PUIG, M. <<La policía local como título competencial>> *Revista Española de Derecho Administrativo* núm. 182. Enero-marzo 2017.

REBOLLO PUIG, M. – IZQUIERDO CARRASCO, M. <<Los medios jurídicos de la actividad administrativa de limitación>> en REBOLLO PUIG, M. – VERA JURADO, D. J. *Derecho Administrativo. Tomo III. Modos y medios de la actividad administrativa de limitación.* Tecnos. Madrid, 2017.

REBOLLO PUIG, M. – IZQUIERDO CARRASCO, M. <<Comentario al artículo 84>> En REBOLLO PUIG, M. – IZQUIERDO CARRASCO, M. (Dirs.) *Comentarios a la Ley Reguladora de las Bases del Régimen Local.* Tirant lo Blanch. Valencia, 2007. Tomo II. Págs 2189 a 2196.

REY MARTÍNEZ, F. <<La protección jurídica de la vida ante el Tribunal de Estrasburgo: un derecho en transformación y expansión>> *Estudios Constitucionales* núm. 1. Año 7. 2009. Págs. 331 a 360.

RISQUES CORBELLA, M. <<Una reflexión sobre la policía durante la Segunda República>> *RCSP* 12/2003. Págs. 71 a 86.

RIVERO ISERN, E. <<La responsabilidad civil del funcionario público frente a la Administración>> *Revista de Estudios de la Vida Local* núm. 177. Enero-marzo, 1975. Págs. 1 a 27.

ROBLES PLANAS, R. <<Legítima defensa, empresa y patrimonio>> *Política criminal* núm. 22. 2016.

ROCA GUILLAMÓN, J. "La responsabilidad del Estado y de las Administraciones Públicas por delitos de sus funcionarios". En MORENO MARTÍNEZ, J. A. *Perfiles de responsabilidad patrimonial en el nuevo milenio.* Dykinson. Madrid, 2000. Págs. 487 a 530.

RUIZ MIGUEL, C. *Servicios de inteligencia y Seguridad del Estado Constitucional.* Tecnos. Madrid, 2002.

RUIZ SUTIL, C. <<El rechazo en frontera o la denominada "devolución en caliente" y su regulación en la LOEx>> *Revista Española de Derecho Internacional,* Volumen 88/2, julio-diciembre 2016.

SAINZ MORENO, F. <<Sobre la apreciación de la buena conducta en función del interés general y la responsabilidad patrimonial de la Administración>> *Revista Española de Derecho Administrativo* núm. 81. 1976. Págs. 201 a 211.

SAINZ MORENO, F. <<Sobre la ejecución "en línea directa de continuación del acto" y otros principios de la coacción administrativa>> *Revista Española de Derecho Administrativo* núm. 13. 1977. Págs. 321 a 328.

SALAMERO TEIXIDÓ, L. *La autorización judicial de entrada en el marco de la actividad administrativa.* Marcial Pons. Madrid, 2014.

SÁNCHEZ GARCÍA, M. I. *Ejercicio legítimo del cargo y uso de armas por la autoridad.* Bosch. Barcelona, 1995.

SANDULLI, A. M. *Sulla impugnabilità giurisdizzionale di atti amministrativi non scritti.* Módena, 1941.

SANTAMARÍA PASTOR, J. A. (Dir.) *Los principios jurídicos del derecho administrativo.* Wolters Kluwer. Madrid, 2013.

SANTAMARÍA PASTOR, J. A. "Panorámica general de la reforma del procedimiento administrativo". En BAUZÁ MARTORELL, F. J. (Coord.) *La reforma del procedimiento administrativo y del régimen jurídico del sector público.* Instituto de Estudios Autonómicos de Baleares. Colección debates núm. 4. Palma de Mallorca. Pág. 20.

SANTAMARÍA PASTOR, J. A. <<Los proyectos de ley de procedimiento administrativo común y de régimen jurídico del

sector público: una primera evaluación>> *Documentación Administrativa*. Nueva Época. Núm. 2. INAP. 2015.

SEQUEIRA DE FUENTES, F. <<Responsabilidad patrimonial de la Administración Pública con ocasión del uso de las armas por los agentes públicos>> *Revista de Administración Pública* núm. 99. Septiembre-diciembre, 1982. Págs. 263 a 269.

SORIANO GARCÍA, J. E. <<Hacia el control de la desviación de poder por omisión>> *Revista Española de Derecho Administrativo* núms. 40-41. 1984. Págs. 173 a 194.

SMITH, M. R. – KAMINSKI, R. J. – ALPERT, G. P. – FRIDELL, L. A. – MaCDONALD, J. – KUBU, B. *A Multi-Method Evaluation of Police Use of Force Outcomes*. Final Report of the National Institute of Justice. 2010.

SUAY RINCÓN. J. <<El derecho administrativo sancionador: perspectivas de reforma>> *Revista de Administración Pública* núm. 109. Enero-abril 1986. Págs. 185 a 215.

TORRE DE SILVA Y LÓPEZ DE LETONA, V. *Responsabilidad patrimonial de la Administración en materia de seguridad ciudadana*. Tirant lo Blanch. Valencia, 2013.

TRAYTER JIMÉNEZ, J. Las ordenanzas cívicas: especial referencia a la Ordenanza de convivencia ciudadana de Barcelona. En AGIRREAZKUÉNAGA ZIGORRAGA, I. (Dir.) *Derechos fundamentales y otros estudios en homenaje al Prof. Dr. Lorenzo Martin-Retortillo*. Vol. 1, 2008. Págs. 537-554.

VANDELLI, L. *El poder local. Su origen en la Francia revolucionaria y su futuro en la Europa de las regiones*. MAP-INAP. Madrid, 1992.

VELASCO CABALLERO, F. <<Expulsión administrativa, devolución, retorno y otras "salidas obligatorias">> *Revista Aragonesa de Administración Pública* núm. Extra 6. 2003. Págs. 301 a 340.

VIRGA, P. *La potestà di polizia*. Giuffré. Milano, 1954.

WADDINGTON, P. A. J. – WILLIMAS, K. – WRIGHT, M. – NEWBURN, T. *How people judge policing*. Oxford University Press. Oxford, 2017.

Apuesta por Tirant Online, la base de datos jurídica de la editorial más prestigiosa de España.*

www.tirantonline.com

Suscríbete a nuestro servicio de base de datos jurídica y tendrás acceso a todos los documentos de Legislación, Doctrina, Jurisprudencia, Formularios, Esquemas, Consultas o Voces, y a muchas herramientas útiles para el jurista:

* Biblioteca Virtual
* Herramientas Salariales
* Calculadoras de tasas y pensiones
* Tirant TV
* Personalización

* Foros y Consultoría
* Revistas Jurídicas
* Gestión de despachos
* Biblioteca GPS
* Ayudas y subvenciones
* Novedades

* Según ranking del CSIC

☎ 96 369 17 28   ✉ atencionalcliente@tirantonline.com
🖶 96 369 41 51   🌐 www.tirantonline.com